P9-ECZ-509
Jardin des herbes aromatiques
Bureau du recteur
Tour du Nord
Réfectoire
Amphithéâtre
RAXFORD
Escalier des Cartes de géographie
RAXFORD

Bienvenue dans le monde des

Téa Sisters

Ce livre
appartient à :

Salut, c'est Téa !

Oui, Téa Stilton, la sœur de *Geronimo Stilton* ! Je suis envoyée spéciale de *l'Écho du rongeur*, le journal le plus célèbre de l'île des Souris. J'adore les voyages et l'aventure, et j'aime rencontrer des gens du monde entier !

C'est à Raxford, le collège dont je suis diplômée et où l'on m'a invitée à donner des cours, que j'ai rencontré cinq filles très spéciales : Colette, Nicky, Paméla, Paulina et Violet. Dès le premier instant, elles se sont liées d'une véritable amitié. Et elles ont tant d'affection pour moi qu'elles ont décidé de baptiser leur groupe de mon nom : Téa Sisters (en anglais, cela signifie les « Sœurs Téa ») ! Ce fut une grande émotion pour moi. Et c'est pour ça que j'ai décidé de raconter leurs aventures. Les assourissantes aventures des…

Nicky

Prénom : Nicky
Surnom : Nic
Origine : Océanie (Australie)
Rêve : s'occuper d'écologie !
Passions : les grands espaces et la nature !
Qualités : elle est toujours de bonne humeur… Il suffit qu'elle soit en plein air !
Défauts : elle ne tient pas en place !
Secret : elle est claustrophobe, elle ne supporte pas d'être dans un espace clos !

Colette

Prénom : Colette

Surnom : Coco

Origine : Europe (France)

Rêve : elle fait très attention à son look. D'ailleurs, son grand rêve, c'est de devenir journaliste de mode !

Passions : elle a une vraie passion pour la couleur rose !

Qualités : elle est très entreprenante et aime aider les autres !

Défauts : elle est toujours en retard !

Secret : pour se détendre, il lui suffit de se faire un shampoing et un brushing, ou bien d'aller passer un moment chez la manucure !

Violet

Prénom : Violet

Surnom : Vivi

Origine : Asie (Chine)

Rêve : devenir une grande violoniste !

Passions : étudier. C'est une véritable intellectuelle !

Qualités : elle est très précise et aime toujours découvrir de nouvelles choses.

Défauts : elle est un peu susceptible et ne supporte pas qu'on se moque d'elle. Quand elle n'a pas assez dormi, elle n'arrive plus à se concentrer !

Secret : pour se détendre, elle écoute de la musique classique et boit du thé vert parfumé aux fruits.

Paulina

Prénom : Paulina
Surnom : Pilla
Origine : Amérique du Sud (Pérou)
Rêve : devenir scientifique !
Passions : elle aime voyager et rencontrer des gens de tous les pays. Elle adore sa petite sœur Maria.
Qualités : elle est très altruiste !
Défauts : elle est un peu timide… et un peu brouillonne.
Secret : les ordinateurs n'ont pas de secret pour elle. Elle est capable de résoudre des énigmes très compliquées en récoltant mille informations sur Internet !

Paméla

Prénom : Paméla
Surnom : Pam
Origine : Afrique (Tanzanie)
Rêve : devenir journaliste sportive ou mécanicienne automobile !
Passions : la pizza, la pizza et encore la pizza ! Elle en mangerait même au petit déjeuner !
Qualités : elle a beau avoir des manières un peu brusques, elle est la pacifiste du groupe ! Elle ne supporte ni les disputes ni les discussions.
Défauts : elle est très impulsive !
Secret : donnez-lui un tournevis et une clef anglaise, et elle résoudra tous vos problèmes de mécanique !

VEUX-TU ÊTRE UNE TÉA SISTER ?

ÉCRIS ICI TON PRÉNOM !

Prénom : __________

Surnom : __________

Origine : ________________________

Rêve : ____________________

____

____

Passions : __________________________

Qualités : __________________________

____

Défauts : __________________________

Secret : ____________________________

____

COLLE ICI
TA PHOTO !

Texte de Téa Stilton.
*Basé sur une idée originale d'*Elisabetta Dami.
Coordination des textes de Sarah Rossi *(Atlantyca S.p.A.).*
Coordination éditoriale de Patrizia Puricelli *et* Maria Ballarotti.
Coordination artistique de Flavio Ferron.
Édition de Katja Centomo *et* Francesco Artibani *(Red Whale).*
Coordination éditoriale de Flavia Barelli *et* Erika Centomo.
Supervision de Mariantonia Cambareri.
Supervision des textes de Flavia Barelli.
Sujet de Flavia Barelli.
Graphisme de référence de Manuela Razzi.
Illustrations de Sabrina Ariganello, Michela Frare, Daniela Geremia, Cristina Giorgilli, Gaetano Petrigno, Arianna Rea, Raffaella Seccia, Roberta Tedeschi *et* Elisabetta Giulivi.
Couleurs de Cinzia Antonielli, Giorgia Arena, Alessandra Bracaglia, Laura Brancati *et* Edwyn Nori.
Couverture de Arianna Rea *(crayonnés),* Yoko Ippolitoni *(encrage)* *et* Ketty Formaggio *(couleurs).*
Graphisme de Paola Cantoni. *Avec la collaboration de* Marta Lorini.
Traduction de Lili Plumedesouris.

www.geronimostilton.com

Pour l'édition originale :
© 2011, Edizioni Piemme S.p.A. – Corso Como, 15 – 20154 Milan – Italie
sous le titre *La leggenda dei fiori di fuoco*.
International rights © Atlantyca S.p.A. – Via Leopardi, 8 – 20123 Milan, Italie
www.atlantyca.com – contact : foreignrights@atlantyca.it
Pour l'édition française :
© 2013, Albin Michel Jeunesse – 22, rue Huyghens, 75014 Paris
www.albin-michel.fr
Loi n° 49-956 du 16 juillet 1949 sur les publications destinées à la jeunesse
Dépôt légal : premier semestre 2013
Numéro d'édition : 20495
Isbn-13 : 978 2 226 24734 6
Achevé d'imprimé en France par Pollina S.A. en mars 2013 - L63639

Téa Stilton

OPÉRATION HAWAÏ

ALBIN MICHEL JEUNESSE

Salut les amis !

VOUS AUSSI, VOUS VOULEZ AIDER LES TÉA SISTERS DANS CETTE AVENTURE DANS LES MAGNIFIQUES PAYSAGES D'HAWAÏ ?
CE N'EST PAS DIFFICILE. IL SUFFIT DE SUIVRE MES INDICATIONS ! 
QUAND VOUS VERREZ CETTE LOUPE, FAITES BIEN ATTENTION : C'EST LE SIGNAL QU'UN INDICE IMPORTANT EST CACHÉ DANS LA PAGE.
DE TEMPS EN TEMPS, NOUS FERONS LE POINT, DE MANIÈRE À NE RIEN OUBLIER.
ALORS, VOUS ÊTES PRÊTS ?
LE MYSTÈRE VOUS ATTEND !

TÉA SISTERS AVANT TOUT !

Qui aurait dit, il y a quelques années, que mes jeunes amies les Téa Sisters un jour me **DÉPASSERAIENT** ?

Et c'est pourtant ce qui s'est produit, et j'en suis très **FIÈRE** ! Car Colette, Violet, Paméla, Nicky et Paulina, mes étudiantes les plus brillantes au collège de Raxford, sont devenues si efficaces dans la résolution

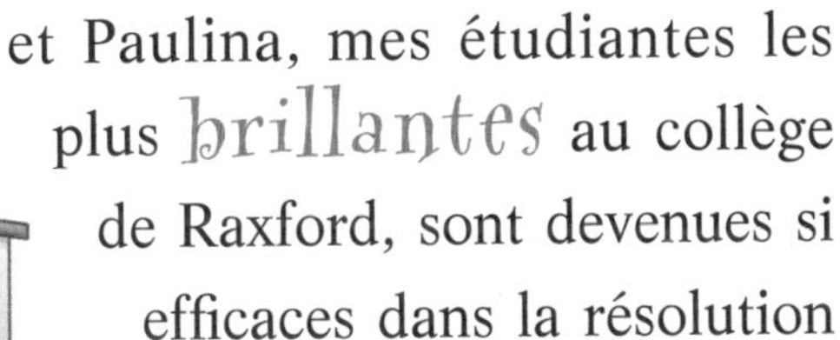

des énigmes à travers le monde qu'elles me précèdent largement ! Mais procédons par ordre.

Vous devez savoir qu'il y a quelques jours, mon frère *Geronimo* m'a convoquée dans son bureau à la rédaction de *l'Écho du rongeur* ; à peine étais-je entrée qu'il me tendait un exemplaire sorti des presses.

– Compliments, sœurette ! Je sais que pour une fois le SCOOP n'est pas de toi, mais cela revient un peu au même, non ?

Je pris le journal qu'il me tendait et vis aussitôt la photo de mes jeunes amies en première page.

– Les Téa Sisters ! m'exclamai-je, enthousiaste, tandis qu'il hochait la tête avec satisfaction.

Je commençai à lire tout haut :
– « **HAWAÏ** : cinq étudiantes du prestigieux collège de Raxford héroïnes d'une opération de sauvetage sur les pentes du volcan Mauna Loa. » *Fantasouristique !*
– Tu as fait un excellent travail avec ces filles, compliments ! m'a félicitée mon frère. Que dirais-tu maintenant de prendre un avion pour l'île des Baleines et te faire raconter tout cela par tes jeunes amies ? Et nous ferions une édition spéciale de *l'Écho du rongeur* !
Je ne me le suis pas fait dire deux fois : j'ai pris le billet d'**HYDROGLISSEUR** que Geronimo me tendait, lui ai claqué une bise sonore sur le front et me suis précipitée chez moi faire ma **valise**.
Au port de l'île des Baleines, mes chères Téa Sisters m'attendaient avec enthousiasme : elles avaient hâte de me narrer l'aventure incroyable qui les avait fait se retrouver en première page des journaux du monde entier.
Nous partîmes donc aussitôt vers le collège où,

devant une tasse de *tisane* fumante, les filles commencèrent à me raconter l'histoire à partir du début, c'est-à-dire de leur arrivée sur les îles Hawaï...

UNE VISION À COUPER LE SOUFFLE

– Waouh, les filles ! Venez voir ! Ça, c'est vraiment ce qu'on appelle une vision À COUPER LE SOUFFLE !

Paméla ne pouvait pas détacher ses YEUX du hublot de l'avion, qui atterrissait sur l'aéroport de Hilo, dans l'île d'Hawaï. Les seuls mots qu'elle parvenait à prononcer, c'était «*fantastique*» et «à couper le souffle».

Colette, occupée à se limer les ONGLES, commenta la énième exclamation de son amie :

– Oui, Pam. On a compris, tu es très très contente d'arriver à Hawaï…

Les îles Hawaï forment un archipel d'origine volcanique qui a émergé il y a un million d'années au cœur de l'océan Pacifique. Elles comprennent l'île d'Hawaï proprement dite (appelée aussi l'île Grande) et sept autres îles importantes. Les trois villes les plus peuplées de l'archipel sont Hilo (dans l'île d'Hawaï), Honolulu et Kailua (dans l'île d'Oahu). Les îles Hawaï sont connues pour leurs plages magnifiques, leurs forêts luxuriantes, leurs déserts volcaniques et leurs panoramas spectaculaires.

LES ÎLES HAWAÏ

Pays d'appartenance : États-Unis d'Amérique
Capitale : Honolulu (dans l'île d'Oahu)
Langues : anglais et hawaïen
Monnaie : dollar américain (USD)

Enfin Pam s'écarta du hublot, sur lequel était restée l'empreinte de son nez.

– Ah oui ?! Je vous l'ai déjà dit ?!

– Au moins vingt fois ! acquiesça Paulina en lui faisant un clin d'œil.

Puis, quand elle vit que son amie semblait le prendre un peu MAL, elle la prit dans ses bras.

– Allons, ajouta-t-elle, c'est même pour ça qu'on t'aime, pour ton enthousiasme !

– VITE, venez regarder ! s'exclama soudain Violet, assise derrière elles. Nous survolons les volcans

de l'île d'Hawaï : il y en a cinq, c'est vraiment un spectacle **unique** !

Pam et Paulina se **retournèrent** vers la rangée de Violet, qui montrait du doigt à Nicky l'emplacement des cratères.

– Qu'est-ce que je vous disais ? Est-ce que ce n'est pas à couper le souffle ? commenta Pam, tout excitée. Mais quand c'est Violet qui le dit…

Les cinq amies **éclatèrent** de **RIRE** et s'approchèrent des hublots.

Elles furent distraites de la contemplation du **PANORAMA** par la voix du pilote, qui annonçait l'atterrissage imminent. Dès que l'appareil éteignit ses moteurs, les passagers commencèrent à rassembler leurs bagages à main.

– Allons, pressons ! les exhortait Colette après avoir rangé dans son vanity-case sa collection de vernis à ongles aux dix **NUANCES** différentes de rose. Il faut descendre, la compétition de *hula* nous attend !

Puis elle regarda autour d'elle, et *les* vit enfin, qui patientaient aussi pour descendre de l'avion.
Colette soupira.
Dire qu'elle avait voyagé tout simplement dans le même avion que… les VANILLA GIRLS !

LEÏ !

Pendant que les Téa Sisters descendaient de l'avion, elles virent les Vanilla Girls (autrement dit Vanilla, Alicia, Connie et Zoé), qui les observaient d'un air de **DÉFI**.

Paméla pouffa :

– L'idée de participer avec elles au championnat de *hula* casse un peu mon enthousiasme, franchement !

– C'est sûr... soupira Colette. Notre malchance a été d'être choisies avec elles pour représenter le COLLÈGE DE RAXFORD à la compétition !

Violet haussa les épaules, placide.

– Nous devons faire comme si nous étions au-dessus de cela, et profiter de chaque instant pendant notre séjour. Un vieux proverbe chinois dit : « Pour chaque plus petit brin d'herbe, il y a une goutte de rosée ! »

Les filles entrèrent dans le hall de l'aéroport et furent comme entraînées par une vague d'énergie : la salle était remplie par les délégations d'étudiants qui venaient du monde entier !

Une musique de ukulélé résonnait dans l'aéroport, tandis qu'un groupe de danseuses hawaïennes dansait la *hula* pour souhaiter la bienvenue à ceux qui venaient d'atterrir.

– Nom d'un boulon DÉBOULONNÉ ! Mais c'est extraordinaire ici ! s'extasia Pam, aussitôt emballée.

Puis les danseuses prirent des guirlandes de fleurs de toutes les couleurs et les passèrent autour du cou des nouveaux arrivants.

– *Leï !* s'exclama une danseuse en passant une GUIRLANDE au cou de Paméla.

Celle-ci ouvrit des yeux ronds, puis se tourna vers ses amies.

– Que dit-elle ? C'est pour dire bonjour ?

La danseuse éclata de RIRE.

– Mais non ! *Leï*, c'est le nom que nous donnons dans notre langue à cette guirlande, par laquelle nous disons « BIENVENUE » !

Pam rougit, EMBARRASSÉE, pendant que ses amies riaient toutes de bon cœur.

HULA

D'origine polynésienne, la *hula* est une danse traditionnelle accompagnée d'un chant (*mélé*). Il y a deux sortes de *hula* : la plus ancienne, appelée *kahiko*, accompagnée d'instruments musicaux naturels (comme des tambours, des cannes de bambou, des citrouilles emplies de graines pour produire des sons) ; et la moderne, *auana*, accompagnée d'instruments occidentaux (comme la guitare et le ukulélé).

Le terme de *hula* est composé de deux syllabes : *hu*, qui veut dire croissance, et *la*, qui indique l'énergie du soleil, alimentée symboliquement à travers la danse. En effet, la *hula* veut exprimer l'amour profond de la nature. Sa particularité réside dans l'harmonie des mouvements des mains, des hanches et des pieds.

COSTUME

À l'origine, pour danser la *hula*, les hommes et les femmes portaient une jupe courte aux hanches ou un grand tissu noué sur les épaules, qui descendait le long du corps.
Aujourd'hui, on porte des jupes en tissu, dont les couleurs représentent les différentes écoles ; aux chevilles et aux poignets, on se pare de bijoux faits de coquilles, de coquillages et de fougères ; autour du cou et sur la tête, d'ornements de fleurs.

Aujourd'hui, la *hula* est une danse célèbre dans le monde entier. Chaque année, dans les îles de l'archipel polynésien, de nombreux festivals ont lieu, pendant lesquels il est possible de vivre l'émotion d'un spectacle de danses traditionnelles.
Durant le *Merrie Monarch Festival* de Hilo se tient la plus prestigieuse compétition au monde de danse *hula*.
L'événement est dédié à la mémoire d'un antique souverain des îles Hawaï, le roi David Kalakaua.

UN ÉTRANGE ÉVÉNEMENT

Les Téa Sisters sortirent de l'aéroport de Hilo mêlées aux jeunes de toutes les délégations. Entre les étudiants, une belle ambiance s'était rapidement créée ; pourtant, les Vanilla Girls, elles, faisaient bande **à part**.

Au moment où ils allaient monter dans le **CAR** qui les conduirait à la résidence dans laquelle ils séjourneraient tous, une voix s'éleva dans le groupe :

– Regardez ! Le *chien blanc* !

Paméla, Violet, Nicky, Paulina et Colette se retournèrent : une des jeunes filles qui les avaient accueillies, l'air inquiet, désignait un point non loin de là. Ses amies, qui s'étaient serrées autour

d'elle, eurent un frisson, et la même expression angoissée se peignit sur leur visage.

Les Téa Sisters REGARDÈRENT dans cette direction et virent un chien blanc qui s'éloignait. Perplexes, elles échangèrent des regards interrogatifs. Que pouvait avoir d'aussi effrayant un simple chien blanc ?!

Se promettant d'approfondir les choses à la première occasion, elles grimpèrent dans l'autocar.

Après un court VOYAGE de vingt minutes, le véhicule s'arrêta devant une construction un peu tape-à-l'œil.

C'était une résidence apparemment très luxueuse !

– Par mille boulons déboulonnés ! s'exclama Paméla en descendant de l'autocar. Quel endroit extra-

Pourquoi les jeunes filles de l'endroit sont-elles aussi frappées par la vue d'un banal chien blanc ?

Fleurs de Feu

ordinaire ! Les organisateurs n'ont pas regardé à la dépense...

– Tu as vraiment raison, Pam ! se mit à glousser Colette, les yeux brillants. Je parie qu'il y a même un SPA !

– Un *quoi* ?! firent en chœur Paulina et Nicky, dévisageant leur amie avec étonnement.

Colette poussa un soupir, puis expliqua :

– Un spa ! Un centre thermal de beauté ! Un lieu de remise en forme, où l'on vous fait des massages, des masques, avec un **SAUNA**, une piscine bouillonnante...

– On a compris, Coco, l'interrompit Pam. Exactement tout ce que tu aimes !

Nicky et Paulina éclatèrent de rire.

– Je ne suis pas sûre que nous aurons du temps à consacrer à des traitements de beauté, Colette... intervint Violet. Nous sommes ici pour participer à un championnat de *hula*, rappelle-toi. Et nous représentons Raxford : pas question de laisser GAGNER les...

À ce moment-là, une voix INSOLENTE s'exclama derrière elles :

– Tu ne crois pas si bien dire, ma belle ! Combien veux-tu parier que nous gagnerons la compétition de *hula* ?!

LE DÉFI DE VANILLA

Celle qui avait parlé, c'était Vanilla : elle se trouvait à quelques mètres derrière les Téa Sisters avec Connie, Zoé et Alicia.

– Bien parlé, Vanilla ! renchérit Zoé. D'ailleurs, heureusement que les VANILLA GIRLS sont là pour représenter Raxford ! Tu imagines le RIDICULE pour le collège, sinon ?

En entendant ces mots, Pam perdit son calme :

– Mais vous vous prenez pour qui ?

Violet lui posa la main sur l'épaule pour l'apaiser.

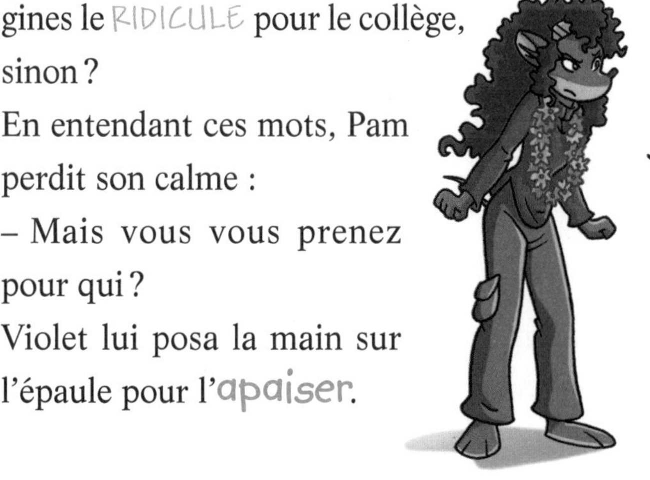

– Laisse tomber, Pam ! Ça n'en vaut pas la peine. À la fin du championnat, les faits parleront d'eux-mêmes.

Vanilla se contenta de commenter d'un air énigmatique :

– Oui, oui, nous verrons cela…

Puis elle secoua sa chevelure rouge FEU et s'éloigna, suivie de ses amies qui ricanaient.

Ce fut juste après que survint un fait étrange : le second, après l'apparition du mystérieux chien blanc.

Pendant que tous les jeunes s'apprêtaient à entrer dans la résidence, un homme à l'allure insolite s'approcha : c'était un VIEILLARD, qui portait des habits très simples et marchait pieds nus.

Mais ce qui frappa le plus l'esprit des filles fut son regard : il semblait profondément bouleversé et inquiet.

– Allez-vous-en ! se mit-il à crier soudain, appuyé sur son bâton de bois.

Tous le regardèrent avec perplexité. Pourquoi

auraient-ils dû partir ? Ils venaient à peine d'arriver !

– Il faut vous en ALLER, je vous dis ! insista le vieillard. Allez-vous-en de cet hôtel avant que le Mauna Loa ne se RÉVEILLE !

Les Téa Sisters échangèrent des regards alarmés. Elles allaient lui demander des éclaircissements, quand Vanilla s'interposa PROMPTEMENT :

– Ne l'écoutez pas, ce n'est qu'un vieux fou ! Tout est neuf dans cet hôtel, il ne peut y avoir aucun danger !

Les jeunes murmurèrent entre eux puis, se rassurant les uns les autres, finirent par acquiescer.

– Venez plutôt ! ajouta Vanilla. Profitons du luxe de cette résidence !

Au même moment, deux POLICIERS surgis de nulle part attrapèrent fermement le vieux monsieur et l'entraînèrent avec eux.

– **Allez, toi**, ordonnèrent-ils, **on circule ! On circule !** Combien de fois on te l'a dit, de ne pas effrayer les touristes avec tes histoires ?
Violet observa les agents avec attention : finalement, ils ne ressemblaient pas à des policiers…
Les deux hommes firent un signe de connivence à un individu **mystérieux** appuyé à la porte d'entrée, qui leur répondit d'un signe de tête.

Pendant qu'ils emmenaient le vieillard, celui-ci pointa le doigt vers les Téa Sisters, les seules restées à le REGARDER, inquiètes.

Finalement, elles se retournèrent vers la résidence et furent ébahies du panorama qui l'entourait. Juste derrière, comme veillant sur l'hôtel, une énorme MONTAGNE se dressait : le volcan Mauna Loa !

INDICE!

Encore quelque chose de bizarre! Deux policiers (à l'air suspect) éloignent un vieux monsieur qui incitait les jeunes gens à quitter la résidence. Pourquoi? Et qui est donc l'individu mystérieux qui observait de loin la scène?

MAUNA LOA

Le Mauna Loa est le plus grand volcan de la terre par son volume, bien que son sommet, qui culmine à 4 169 mètres, ne dépasse pas celui de son voisin, le Mauna Kea. Ses flancs descendent en pente douce, et le nom de Mauna Loa, qui veut dire « longue montagne », souligne cette caractéristique.

Le Mauna Loa est un volcan actif depuis 700 000 ans ! Sa dernière éruption date de 1984. En 1926 et en 1950, il détruisit quelques villages, mais par bonheur aucune des éruptions les plus récentes n'a fait de victimes.

Bienvenue à la résidence « Fleurs de feu » !

Les Téa Sisters s'installèrent dans leur chambre qui, plus qu'une chambre, était une véritable suite de grand luxe !

Elle était dotée de cinq lits à baldaquin drapés de rideaux blancs, d'une énorme baignoire à jets de MASSAGE au centre de la pièce et, tout autour, de baies vitrées. Celles-ci donnaient sur une piscine d'eau cristalline, derrière laquelle se détachait, imposante, la masse du Mauna Loa. Une vue à couper le souffle !

Les cinq jeunes filles restèrent de longs instants à admirer le panorama. Puis Colette ne put résister plus longtemps et se mit à pousser des cris de *joie* :

– Il y a une baignoire à jets !!!
Cette Coco, elle était vraiment **INCORRIGIBLE** !
Une fois leurs bagages défaits, les filles se changèrent pour prendre part à la *fête* de *bienvenue* qui était prévue.
Quand elles entrèrent dans la salle de réception, elles en eurent une fois de plus le **SOUFFLE** coupé : la pièce ouvrait sur une terrasse illuminée,

d'où l'on jouissait d'une vue magnifique sur la baie de Hilo.

– Eh bien décidément, quel hôtel fastueux ! commenta Paulina, IMPRESSIONNÉE.

La terrasse était pleine de garçons et filles. Nicky remarqua un jeune qui la regardait de manière insistante, avec un demi-sourire. Elle rougit et détourna les yeux, EMBARRASSÉE. Évidemment, il y avait aussi les Vanilla Girls, qui arboraient leurs robes les plus élégantes.

À un moment, un monsieur monta sur une petite estrade au fond de la terrasse et prit un micro.

– Bonsoir, tout le monde ! s'exclama-t-il avec entrain. Bienvenue au championnat de *hula* !

– Je me trompe ou c'est le même individu qui échangeait des signes avec les deux policiers devant la résidence ? dit Violet d'un ton pensif.

Ses amies acquiescèrent.

Du haut de l'estrade, l'autre continuait, d'un ton affable :

– Je m'appelle Tom Berry et je suis le propriétaire de cette merveilleuse résidence !

– *Un* des propriétaires, tu veux dire, rectifia un jeune homme dans la trentaine, en le rejoignant sur l'estrade avec un SOURIRE. Ne sommes-nous pas associés ?

Tom Berry rougit VISIBLEMENT.

– Euh… oui, bien sûr ! Je ne voulais absolument pas… Viens là, Ekana !

Puis, tourné vers le public, il ajouta, les dents serrées :

– C'est avec un grand plaisir que je vous présente EKANA KAHANAMOKU, mon associé, propriétaire avec moi de la splendide résidence des « Fleurs de feu ».

La salle applaudit.

Violet murmura à ses amies :

– Berry n'a pas l'air très enchanté par le fait d'avoir un associé, vous ne trouvez pas, les filles ?

– Ça, c'est CLAIR ! lui accorda Nicky.

Pendant qu'Ekana expliquait à l'assemblée comment se déroulerait la compétition de *hula* (à partir du lendemain), les Téa Sisters remarquèrent que Berry descendait de l'estrade et se dirigeait vers un individu à la silhouette sèche, au dos un peu courbé, avec une paire de lunettes sur le nez. L'individu serrait sous un bras un dossier rempli de papiers. Tous deux se mirent à DISCUTER avec animation.
Paulina hocha la tête, SUSPICIEUSE.

– Je ne sais pas ce que vous en pensez, mais ce Tom Berry a quelque chose qui ne me plaît guère. C'est INSTINCTIF, mais je ne l'aime pas…
– Tu as raison, fit Violet en écho. Je n'arrive pas à comprendre pourquoi ils sont associés, Ekana et lui. Ils n'ont rien en commun… Ekana m'a l'air d'un BRAVE garçon…
Pendant que les cinq Téa Sisters échangeaient ces commentaires, Berry et son drôle d'interlocuteur rentrèrent discrètement à l'intérieur.

EKANA KAHANAMOKU

Ekana descendit de l'estrade et se mit à bavarder **aimablement** avec les hôtes.
Les Téa Sisters en profitèrent pour s'approcher et apprendre quelque chose à son sujet.
– Bonjour ! Je m'appelle Colette et voici mes meilleures amies, Violet, Paulina, Nicky et Paméla. Nous sommes les représentantes du COLLÈGE DE RAXFORD !
Ekana lui sourit en retour :
– **BIENVENUE AUX ÎLES HAWAÏ !** J'espère que vous

serez bien ici et que vous appréciez la résidence des « Fleurs de feu » !

– Vous plaisantez ?! répondit Colette, les yeux brillants. Impossible de ne pas se sentir bien, dans un endroit pareil : c'est époustouflant ! Sans même parler de cette merveille d'HYDROMASSAGE...

Nicky lui ferma la bouche avec sa main, pour s'amuser, et Ekana éclata de RIRE :

– Eh bien, je suis content que nous ayons trouvé une fan aussi enthousiaste ! Avec tout ce que nous avons investi...

Paulina saisit la balle au bond et demanda :

– Racontez-nous comment est né cet hôtel. Sa position, tout près du Mauna Loa, est fabuleuse. Mais n'est-ce pas dangereux ?

Ekana sourit, serein.

– Absolument pas. Il y a des années que le volcan est endormi et l'observatoire de l'île a effectué des **RELEVÉS** avant qu'on ne commence la construction de la résidence. Il n'y a aucun risque !
Il continua avec **ORGUEIL** :
– Figurez-vous que le terrain sur lequel l'hôtel est construit appartient à ma famille depuis des générations. Quand Tom est arrivé ici, il y a quelques années, il m'a proposé de créer ensemble une société et de **CONSTRUIRE** cette résidence. Nous l'avons donc fait sur ma propriété.
Soudain, le portable du jeune homme se mit à **sonner** : il s'excusa et s'éloigna de quelques mètres pour répondre.
Les Téa Sisters échangèrent un regard.
Elles pensaient toutes la même chose : c'était Tom Berry qui avait voulu s'associer avec Ekana !
Intéressant...
Avant de remonter dans leur chambre, elles s'attardèrent encore un peu sur la terrasse. Elles purent ainsi apprécier le petit concert de

ukulélé que quelques étudiants hawaïens IMPROVISÈRENT sous le ciel étoilé. Quelle ambiance extraordinaire !

APPEL URGENT DE L'ÎLE DES BALEINES !

Colette, Violet, Paulina, Nicky et Paméla se RETI-RAIENT dans leur chambre pour aller se coucher, quand elles rencontrèrent dans le couloir Vanilla, Alicia, Zoé et Connie.

– Vous avez l'air un peu fatiguées, observa

Vanilla avec une préoccupation feinte. Il vaut mieux aller vous reposer, ou vous serez encore plus VILAINES demain ! HA, HA, HA !

Les Vanilla Girls DISPARURENT dans leur chambre avec des airs triomphants.

Ce fut à ce moment que le téléphone de Paulina se mit à sonner. La jeune fille se HÂTA de répondre : c'était rien moins que le professeur Van Kraken, du collège ! Bizarre...

Paulina mit le haut-parleur.

– Les filles ! s'écria aussitôt le professeur. Je vous appelle parce qu'il y a urgence, et vous seules pouvez m'aider.

– Nous ?! s'exclama Pam, interdite. Mais, professeur... vous vous souvenez que nous sommes aux îles Hawaï ?!

– Évidemment, répondit le professeur d'un ton FERME. C'est bien pourquoi je vous demande votre AIDE !

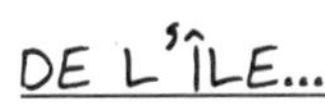

Les Téa Sisters se regardèrent d'un air interrogateur.

– Vous devez savoir que ces derniers temps je me suis pris de passion pour l'étude des volcans encore ACTIFS dans le monde, leur expliqua-t-il alors. Avec une équipe de scientifiques de différents pays, j'ai positionné des instruments de mesure ultrasensibles dans certains cratères à surveiller. Si j'en crois les données qui me sont parvenues dans les dernières heures, un des volcans que nous sondons présente un grand risque d'éruption. Il s'agit… du Mauna Loa !

Les filles sursautèrent.

– Mais c'est le volcan juste à côté de notre résidence ! s'exclama Nicky, pendant que ses amies se TOURNAIENT vers les baies vitrées.

Van Kraken leur *ENVOYA* aussitôt par e-mail un graphique des derniers relevés, les invitant à poursuivre leur conversation en visioconférence.

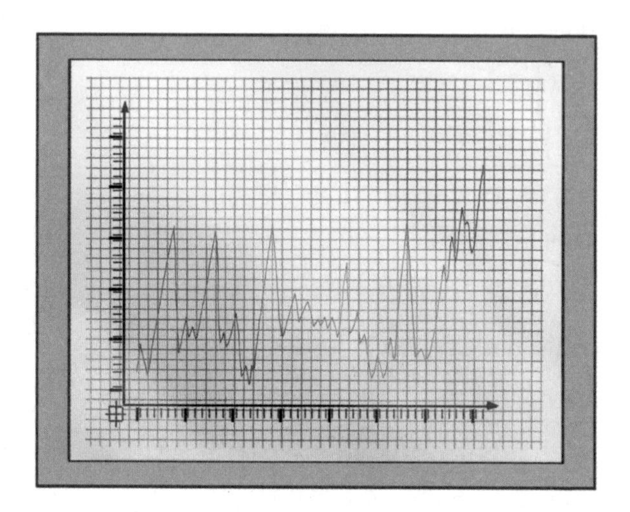

– Le Mauna Loa pourrait entrer en **ÉRUPTION** d'un moment à l'autre ! insista le professeur d'un ton de plus en plus affolé.

Paulina étudia attentivement le graphique.

– Ce soir, précisément, tenta-t-elle d'objecter, nous avons parlé avec l'un des deux propriétaires de la résidence et il nous a pourtant assuré que le volcan est en sommeil depuis des années. Il affirme qu'il ne présente aucun genre de **risque**...

– Voilà qui ne fait qu'augmenter mon inquiétude, commenta Van Kraken. J'ai contacté

les savants de l'observatoire de recherches sur les pentes du Mauna Loa, pour obtenir quelque information supplémentaire, mais ils disent n'avoir jamais rien relevé d'ALARMANT. Et ça, c'est impossible : les appareils de mesure installés par mon équipe sont de la dernière génération et ils ne peuvent pas se tromper. Il se passe quelque chose, et je n'arrive pas à savoir quoi...

– Vous avez raison, c'est vraiment bizarre ! acquiesça Paulina.

– Un peu *trop* bizarre, souligna Van Kraken. Mais le plus bizarre, c'est que les autorités locales aient permis la construction de la résidence où vous logez ! Elle est bien *trop* proche du volcan !

Il resta quelques instants silencieux puis conclut :

– Les filles, je ne veux pas vous **effrayer**, mais profitez de votre présence sur place pour

enquêter, et agir, s'il le faut. Votre résidence pourrait être balayée par l'éruption !

QUE DIRIEZ-VOUS DE FAIRE LE POINT SUR LA SITUATION ?

– La résidence « Fleurs de Feu » se trouve très proche du célèbre volcan Mauna Loa.
– Ekana Kahanamoku, l'un des propriétaires de la résidence hôtelière, assure que le Mauna Loa est un volcan endormi (donc, qui n'est pas dangereux). Il soutient que c'est prouvé par les relevés qui ont été faits par l'observatoire de recherches juste avant la construction de l'hôtel.
– D'après les relevés effectués par le professeur Van Kraken, le volcan Mauna Loa est loin d'être endormi : pire même, il serait au bord de l'éruption !
– Les savants de l'observatoire de recherches, interpellés par Van Kraken, confirment que la situation du volcan est stable.
– Comment est-il possible que l'équipe de Van Kraken et les savants de l'observatoire de recherches disposent de données aussi différentes ?

QUE LES DANSES COMMENCENT !

PREMIER JOUR

MATIN — Compétition de groupe

Concours de danse traditionnelle par équipes

APRÈS-MIDI — Quartier libre

DEUXIÈME JOUR

MATIN — Compétition individuelle de danse traditionnelle et moderne

Compétition de groupe de danse moderne

APRÈS-MIDI — Quartier libre

TROISIÈME JOUR

MATIN — Demi-finales et finale par équipes et individuelle

APRÈS-MIDI — Remise des prix

QUATRIÈME JOUR

ALOHA PARTY

Les Téa Sisters s'étaient levées de bonne heure pour se préparer au premier jour de compétition. Un peu émues, elles sortirent de leur valise les tenues confectionnées par Colette.

– Vous en pensez quoi, du coup de téléphone d'hier soir ? demanda Violet tout en se changeant.

Paulina soupira :

– Je ne sais pas… Mais une chose est sûre : le professeur Van Kraken est un savant très sérieux. Difficile qu'il se trompe sur quelque chose !

– S'il avait raison, intervint Nicky en enfilant sa tenue, cela voudrait dire que la résidence est en PÉRIL ! Et aussi qu'Ekana a menti…

– Et s'il était de bonne foi ? dit alors Paméla, l'air pensif. Il ne m'a pas donné l'impression d'être quelqu'un qui mettrait volontairement des personnes en danger.

Puis elle secoua sa jupe autour d'elle.

– Wouaouh, Colette, les costumes que tu nous as préparés sont à tomber ! Tu es un vrai génie de la mode !

Colette eut un petit rire qui cachait une pointe d'**ORGUEIL**.

– Maintenant, il faut tâcher de nous concentrer pour la compétition de *hula*, intervint Violet, comme elles sortaient toutes de la chambre. Peut-être pouvons-nous tenter d'en découvrir un peu plus cet après-midi.

Elles se dirigèrent en bavardant vers le hall de l'hôtel, qui **GROUILLAIT** d'étudiants : on

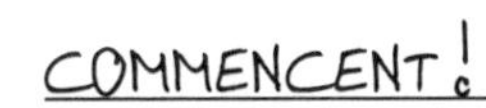

se serait cru dans un parterre de fleurs multicolores ! Tous portaient en effet des costumes hawaïens créés exprès pour l'occasion. C'était beau de voir des jeunes de tous les coins du monde s'afficher ensemble !

Les jeunes gens montèrent dans un autocar qui se dirigea vers l'Edith Kanaka'ole Stadium de Hilo.

Dès leur arrivée, les Téa Sisters s'aperçurent que les musiciens étaient déjà tous installés autour de la scène CONSTRUITE pour le championnat. Les gradins étaient remplis d'un public en liesse. Quelle émotion !

Les jeunes **HAWAÏENNES** de l'équipe locale s'approchèrent des Téa Sisters, le sourire aux lèvres.

– Bonjour, les salua l'une d'elles. Je m'appelle Apikalia et voici mes camarades. Nous voulions vous complimenter pour vos costumes : ils sont vraiment magnifiques !

Colette s'ILLUMINA :

– Merci, vraiment merci ! répondit-elle spontanément.
Vanilla, qui avait OBSERVÉ la scène non loin de là, se tourna vers Alicia et lui donna un coup de COUDE.
– Je te l'avais bien dit que nos costumes n'étaient pas terribles ! Encore une fois, nous nous sommes laissées dépasser par ces idiotes de Téa Sisters. Et tout ça par ta faute !

Alicia baissa les **YEUX** d'un air attristé. Comme par un fait exprès, les juges **ANNONCÈRENT** à ce moment-là le début de la compétition et appelèrent précisément sur scène… les Vanilla Girls ! Elles étaient les premières !

La hula, c'est ça !

Vanilla, Alicia, Zoé et Connie exécutèrent une chorégraphie correcte, sans plus. Alicia en particulier buta sur quelques pas, immédiatement fusillée du regard par Vanilla.

Aussitôt après fut appelée sur scène une équipe de jeunes gens venant de Maui : leur prestation fut à la fois ÉNERGIQUE et adroite. Nicky reconnut parmi eux le garçon qu'elle avait remarqué la veille et fut frappée par l'agilité et l'*élégance* de ses mouvements. Pam s'en aperçut et lui donna une petite chiquenaude *amicale*, ce qui fit un peu rougir Nicky.

Ensuite fut appelé le groupe

d'Apikalia et de ses amies : leurs mouvements de mains, de hanches et de pieds étaient parfaitement synchronisés, et les jeunes filles ondulaient comme une VAGUE sur la mer. Elles réussirent à conserver ce rythme et cette harmonie tout le temps de leur danse.

ÇA, C'ÉTAIT DE LA HULA !

Les Téa Sisters les regardaient, pleines d'admiration.
Après le groupe d'Apikalia vint le tour de Violet, Paméla, Nicky, Paulina et Colette.
À la fin de la matinée, l'équipe d'Apikalia était en tête, suivie de celle des Téa Sisters puis des VANILLA GIRLS.
Pendant que Nicky, Violet, Colette, Paméla et Paulina, après s'être changées, franchissaient la GRILLE du stade, elles furent approchées par l'équipe de Maui.
Le capitaine était ce jeune Hawaïen qui avait tant fasciné Nicky !

En croisant son **REGARD**, la jeune fille rougit de nouveau, tandis qu'il se présentait et demandait :

– Hé, les filles, vous aimez le **SURF** ?

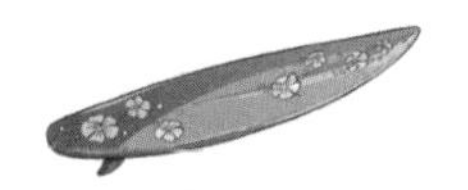

SURF ?!

Nicky resta sans voix, mais Pam **ACCOURUT** prestement à son secours :

– Pardon, mais... c'est juste une question, ou bien c'est une invitation ? Euh... hum, peux-tu nous redire ton nom ? Mon amie est un peu **DISTRAITE** et je crains qu'elle n'ait pas entendu !

Il éclata de rire et répondit :
– Je m'appelle Renani, et c'était bien une invitation. La tradition veut que l'APRÈS-MIDI de la première journée du championnat on aille tous ensemble faire du surf pour faire connaissance. Vous venez ?
– Bien sûr ! se réveilla Nicky, ENTHOUSIASTE.
Paulina la regarda de biais et lui chuchota :
– Mais... ne devions-nous pas commencer à enquêter pour le professeur Van Kraken ?
Ce fut alors qu'intervint Pam, complice :
– Tu sais ce que c'est : l'*amour* pour le surf fait oublier tout le reste... Et puis ça pourrait être une bonne occasion pour jeter un coup d'œil à la plage et aux alentours !
Nicky regarda Paulina avec une expression implorante, retenant son souffle.
– Bon, d'accord, finit par céder son amie. Va pour le surf. Mais on ouvre l'œil, compris ?!
Nicky s'élança vers son amie et la serra dans ses bras, heureuse.
– Merci, Paulina, tu es un vrai trésor !

Ce fut ainsi que les Téa Sisters se retrouvèrent au bord de la mer. La plage fourmillait de jeunes : il y avait tous les participants aux compétitions et tous… faisaient du surf !
Évidemment, il y avait aussi les Vanilla Girls, qui longeaient le bord en exhibant leurs planches.
Nicky se jeta aussitôt à l'eau avec Renani. Quand Vanilla la vit surfer, elle eut soudain une idée… bien digne d'elle !
– Nicky est vraiment imprudente ! dit-elle à ses amies. Le surf est un sport DANGEREUX et si elle devait avoir un accident… adieu le concours de *hula* pour les Téa Sisters !
Alicia, Connie et Zoé la comprirent au vol et se précipitèrent dans l'EAU sur leur planche. Vanilla

voulait encercler Nicky et la pousser dans les vagues, lui faire perdre l'équilibre. Mais Nicky était une vraie pro du surf et elle s'esquiva agilement. Vanilla et ses amies FRÔLÈRENT alors la collision et durent se jeter à la mer pour éviter la catastrophe, tandis qu'une GIGANTESQUE vague se brisait sur elles !
Sans la présence de Renani et de ses copains, qui s'empressèrent de les repêcher, les Vanilla Girls ne s'en seraient pas sorties aussi rapidement !

La légende des fleurs de feu

Nicky remonta sur la plage, sa planche sous le bras, et ses amies coururent tout SOURIRE à sa rencontre.
– Bravo ! la félicita Pam, en lui tapant dans la main. Comme d'habitude, tu es IMBATTABLE sur la planche ! Je me demande ce que Vanilla avait en tête… Renani a vraiment été gentil de les accompagner, elle et ses amies, jusqu'à l'infirmerie.
Mais Nicky ne l'écoutait déjà plus : elle venait de s'apercevoir que quelqu'un les OBSERVAIT à distance.
– Regardez ! C'est le vieux monsieur d'hier ! s'exclama-t-elle en leur désignant un endroit non

loin de là. Celui qui nous exhortait à quitter l'hôtel parce que c'était dangereux…

– Il ne faut pas qu'il nous ÉCHAPPE ! ajouta Paulina en avançant vers lui d'un pas décidé. Je suis sûre qu'il sait beaucoup de choses…

Mais au moment où elle allait l'aborder, quelqu'un la précéda, qui arrivait **VIVEMENT** : c'était Ekana, qui s'interposa entre eux et s'adressa à l'ANCIEN :

– Ça suffit, maintenant ! Tu dois cesser de venir ici DÉRANGER les hôtes de la résidence avec tes prédictions, ordonna-t-il, le doigt tendu vers le vieil homme. C'est la dernière fois que je te le dis, grand-père Nahele !

En l'entendant, Paulina sursauta.

– Comment ?! Cet homme est… son *grand-père* ?!

Les deux hommes ne lui prêtaient pas attention et continuaient de discuter avec **animation**, pendant que les autres Téa Sisters s'approchaient pour écouter.

– Ekana ! apostropha Nahele d'un ton ferme. Tu

sais très bien que ce ne sont pas des élucubrations de vieillard !

Ekana baissa le REGARD et resta silencieux.

Nahele en profita pour continuer :

– La résidence a été construite dans un endroit dangereux, et tu t'obstines à ignorer les signes que t'adresse la NATURE, tout ça parce que toi et ton associé vous êtes dominés par l'appât du gain !

À ces accusations, Ekana répliqua :

– Et ils sont où, ces SIGNES ?

– L'apparition du chien blanc en ville, par exemple, répondit Nahele, le visage assombri.

Ekana éclata de rire :

– Ha, ha, ha ! On peut dire que voilà une preuve scientifique, en effet !

Puis il changea de ton et conclut avec DURETÉ :

– Ce ne sont que des histoires pour essayer de DISCRÉDITER mon travail, grand-père. Aucun journal, aucune radio ni même l'observatoire de recherches n'ont parlé de danger d'ÉRUPTION. Par conséquent, laisse-moi tranquille !

Sur ces mots, il lui tourna le dos et s'en alla.

Nahele resta à le regarder d'un air attristé. Puis, remarquant finalement les Téa Sisters, il commenta :

– Ekana, mon petit-fils, est un bon garçon. Sauf qu'il s'est laissé convaincre par ce VAURIEN de Tom Berry de construire cette fameuse résidence, et c'est là que les problèmes ont commencé. Ce Tom, il ne me plaît pas. Il est très puissant et j'ai peur qu'il ne soit pas seulement un entrepreneur…

Paulina aida le vieux *monsieur* à s'asseoir puis lui demanda :

– Parlez-nous du chien blanc. Quel rapport avec l'éruption du Mauna Loa ?

– Le chien blanc, expliqua Nahele, est lié à une très **ANCIENNE** légende hawaïenne : la *légende des fleurs de feu*. On raconte que chaque fois qu'un chien blanc solitaire arrivera en ville, du volcan **FLEURIRONT** des fleurs de feu. Autrement dit, il y aura une éruption…

Le vieux monsieur s'interrompit et bondit soudain sur ses pieds, en s'écriant :

– Regardez !

Les filles suivirent son regard et le virent alors : le chien BLANC ! L'animal les fixa quelques instants, avant de s'éclipser. Les Téa Sisters ÉCHANGÈRENT un coup d'œil résolu : légende ou pas, le moment était venu d'enquêter sérieusement !

TOUT EST EN RÈGLE !

Nicky, Violet, Colette, Paméla et Paulina RENTRÈRENT à la résidence et commencèrent à poser quelques questions sur Tom Berry au personnel. Mais tous prodiguèrent des *éloges* sur l'hôtel et sur les deux propriétaires.
Les filles se présentèrent à la réception, où elles

expliquèrent qu'elles faisaient des recherches pour un article DÉTAILLÉ sur la résidence.

– Peut-on voir par exemple les documents relatifs à la **sécurité** des locaux ? demanda poliment Paulina. On nous a dit que des mesures très poussées avaient été effectuées…

– TRÈS POUSSÉES ! confirma la jeune réceptionniste, en montrant une pile de documents bourrés de chiffres et de graphiques. La construc-

tion est cent pour cent en règle, avec toutes les autorisations, aucun danger possible !

Et en effet, il suffisait de voir tous les **TAMPONS** des autorités locales apposés au bas de chaque feuille.

Quant à une éventuelle éruption du Mauna Loa, l'hypothèse faisait simplement SOURIRE chacun des interviewés.

D'ailleurs, puisqu'aucun journal n'en avait parlé, pourquoi faudrait-il s'inquiéter ?

– À quoi songes-tu ? demanda Violet à Paulina, qui gardait le silence et regardait devant elle d'un air pensif.

– Ekana et toutes les autres personnes que nous avons interviewées nous ont parlé des journaux, en répétant qu'aucune information concernant un risque d'ÉRUPTION n'avait jamais paru dans la presse, répondit-elle. Eh bien, je crois que le moment est venu de faire un saut dans les salles de rédaction des journaux locaux. Peut-être qu'ils sauront nous dire quelque chose de plus !

Les Téa Sisters décidèrent de poursuivre leur recherche d'informations à Hilo, la ville la plus proche.

Première étape : à la rédaction !

Une fois à Hilo, les cinq filles achetèrent un exemplaire de chacun des **NOMBREUX** journaux locaux et s'installèrent sur un banc pour déterminer par quel quotidien commencer leur investigation.

Elles en profitèrent pour admirer le panorama du coucher de soleil hawaïen : vraiment À COUPER LE SOUFFLE !

Finalement, elles montèrent dans un taxi qui FILA dans les rues de la ville et les conduisit devant le siège d'un des quotidiens les plus importants. Elles se présentèrent comme de jeunes journalistes et furent accueillies par Melika, la rédactrice en chef, qui se montra très disponible.

– La presse locale a-t-elle eu récemment des informations sur une ACTIVITÉ présumée du volcan Mauna Loa ? demanda Colette.

Melika secoua la tête.

– Non. En tout cas pas ces dernières années. N'oubliez pas que le Mauna Loa n'a pas connu d'éruption depuis 1984 !

Paulina était de plus en plus perplexe : en effet, les journalistes paraissaient n'avoir aucune raison de s'inquiéter d'une éruption.
Mais au moment où les Téa Sisters s'apprêtaient à s'en ALLER, Melika ajouta :
– En tout cas, si vous voulez en savoir plus, je vous conseille de vous rendre directement à la source.
Paulina et les filles ne comprirent pas, et Melika s'expliqua :
– Vous devriez vous renseigner à l'observatoire de recherches : c'est de là que nous arrivent toutes les informations sur l'activité du volcan.

ALLEZ À L'OBSERVATOIRE !

Bonne idée !
Je regarde comment on y va !

LE MYSTÈRE S'ÉPAISSIT...

Les Téa Sisters saluèrent Melika et quittèrent la rédaction au pas de COURSE.

– Autrement dit, murmura Violet comme pour elle-même, pendant qu'elles DESCENDAIENT dans l'ascenseur, si jamais il y avait du LOUCHE dans cette histoire, c'est à l'observatoire qu'il faudrait le chercher, non ? Puisque c'est de là que proviennent toutes les informations sur le VOLCAN.

– Allons-y tout de suite, alors ! s'exclama Paulina d'un ton décidé.

Les filles venaient de sortir de l'immeuble du journal et regardaient autour d'elles à la recherche d'un taxi, quand elles s'aperçurent qu'une voiture

de police était garée juste devant, comme si elle n'attendait qu'elles...

Juste à côté se tenaient les deux **POLICIERS** qui avaient éloigné le vieux Nahele lors de leur arrivée à la résidence.

Les deux individus les **dévisagèrent** quelques instants en silence, jusqu'au moment où l'un des deux fit un signe de tête et parla :

– Si je ne me trompe pas, vous participez à la compétition de *hula*, n'est-ce pas ? Vous ne trouvez pas

Encore les deux policiers ? Et leur attitude, cette fois, est encore plus suspecte...

qu'il est un peu tard pour se promener en ville ? Vous feriez mieux de vous reposer !

Les Téa Sisters se regardèrent, surprises : plus qu'un conseil, on aurait vraiment dit une menace !

Violet tira Paulina et Pam par le bras.

– Ils ont raison, déclara-t-elle tout haut. Allons-y, les filles !

Puis, tandis qu'elles s'ÉLOIGNAIENT, elle chuchota à ses amies :

– Mieux vaut ne pas discuter avec ces deux-là... D'ailleurs, je les soupçonne de ne pas être DU TOUT des policiers.

– C'est vrai, acquiesça Pam, elle aussi à voix basse. Et le fait qu'ils se soient DÉRANGÉS pour venir jusqu'ici confirme que quelque chose de louche se trame.

Les Téa Sisters retournèrent à la résidence. Au moment où elles pénétraient dans le hall, elles s'aperçurent de la présence de Tom Berry, qui parlait dans son PORTABLE.

D'instinct, lcs filles se cachèrent derrière une énorme plante pour écouter sa conversation.

– Non, elles ne sont pas encore rentrées, mais dorénavant j'exige que vous les gardiez à l'ŒIL, c'est clair ?! Elles posent des questions PARTOUT, et je n'aime pas ça.

Les cinq amies se regardèrent : se pouvait-il que Tom Berry soit en train de parler d'elles ?!

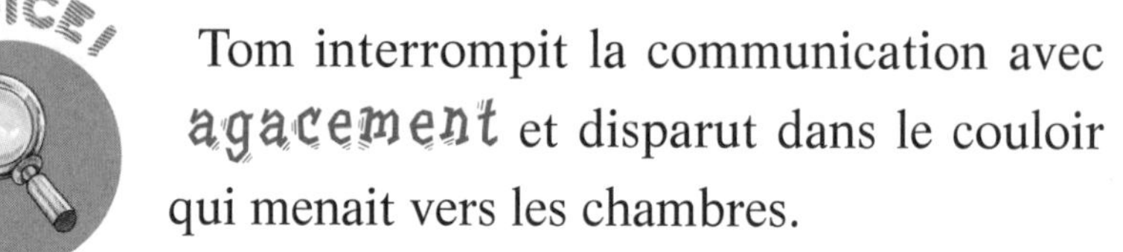

Tom interrompit la communication avec agacement et disparut dans le couloir qui menait vers les chambres.

– C'est *évident* qu'il parlait de nous ! affirma Colette, aussitôt qu'elles furent seules.

– Et c'est *évident* qu'à partir de maintenant nous devrons être très prudentes, fit Pam en écho.

– Allons dormir, conclut Nicky dans un bâillement. Demain nous avons une journée chargée : c'est l'épreuve de DANSE moderne !

Le mystère s'épaissit !
Pourquoi les deux policiers (mais sont-ils même des policiers ?) suivent-ils les Téa Sisters ?
Que cache donc Tom Berry ?

Pssst pssst...

La deuxième journée comportait l'épreuve individuelle et le spectacle de groupe en danse moderne.

Cette fois encore, Colette s'était dépassée dans la confection des costumes. Pour l'occasion, elle s'en était donné À CŒUR JOIE : elle avait choisi un tissu à motif floral, mais en blanc et rouge.

Les Téa Sisters décidèrent de ne pas enfiler tout de suite leur tenue ; elles l'emporteraient au stade et la mettraient sur place, afin d'éviter de la **SALIR** pendant le trajet en autocar.

Chacune revêtit donc ses vêtements de tous les jours et plia son costume dans son sac.

Mais cela n'avait pas échappé aux yeux attentifs de Zoé !
Quand les Téa Sisters ARRIVÈRENT dans le hall de l'hôtel pour attendre l'autocar avec les autres participants, elle donna un coup de coude à Vanilla pour attirer son attention.
– Pssst pssst… souffla-t-elle.
– Quoi encore ?! répliqua Vanilla, agacée, en arrangeant sa robe et ses cheveux de la main.
Zoé lui désigna les Téa Sisters :
– Regarde, elles ont gardé leur costume dans leur sac.
Vanilla regarda d'abord les Téa Sisters puis Zoé. Son expression était de plus en plus FURIEUSE, et elle fixa Zoé comme si c'était une Martienne, avant de lui répondre de façon DÉSAGRÉABLE :
– Et alors ? Quel besoin de me le faire remarquer ?!
Zoé s'approcha de l'oreille de son amie en lui chuchotant d'un air mauvais :
– On se demande ce qui arriverait, si l'une d'entre elles perd son sac : elles seraient sûrement obligées

de déclarer forfait, et adieu la deuxième place ! Enfin, Vanilla comprit le sous-entendu et un petit SOURIRE futé se dessina sur son visage.

– Zoé ! Je te l'ai déjà dit, que j'adore quand tu es plus maligne que moi ?!

BOYCOTTAGE !

Comme la veille, l'autocar qui devait emmener les participants au stade apparut PILE à l'heure devant la résidence. Cette fois, Nicky s'assit à côté de Renani : leur sympathie réciproque était évidente aux yeux de tous !

Dès que le véhicule arriva à destination, les jeunes gens remarquèrent que la scène avait été somptueusement décorée d'orchidées magnifiques. Tous furent émerveillés de voir une telle débauche de fleurs. Tandis qu'elle admirait ces décorations, Colette sentit que quelqu'un déboulait derrière elle si vivement qu'elle faillit en perdre l'équilibre. Elle parvint à rester debout par miracle, malgré le COUP porté dans son dos.

Se retournant brusquement, elle vit alors Alicia, embarrassée.

– Euh… excuse-moi, on m'a poussée ! bafouilla cette dernière.

LE PLAN DE ZOÉ

Alicia fait mine de heurter Colette par mégarde...

... mais en réalité elle en profite pour piquer son costume dans son sac !

Colette resta interdite un instant, puis lui sourit aimablement.

– Il n'y a pas de mal, ne t'en fais pas !

Alicia s'éloigna avec un air coupable en compagnie de Zoé, pendant que Vanilla et Connie les regardaient revenir vers elles en ricanant.

– Vous l'avez ? leur demanda Vanilla tout bas.

– Bien sûr ! répondit Zoé sur un ton triomphant. Je l'ai mis dans mon sac.

Colette à son tour alla retrouver ses amies, sans soupçonner quoi que ce soit.

Pendant ce temps, les compétitions individuelles avaient débuté. Les Téa Sisters en profitèrent pour aller dans les vestiaires s'habiller pour leur

Alicia passe le costume à Zoé, qui s'est approchée...

... puis demande pardon à Colette, qui ne s'est aperçue de rien !

spectacle. Mais alors qu'elles commençaient à se changer…

– AAAAAH ! hurla Colette, avec tout l'air qu'elle avait dans les poumons.

– Colette, tu vas nous faire avoir une CRISE cardiaque ! protesta Paméla en se bouchant les oreilles. Que s'est-il donc passé de si EFFRAYANT ?

– Mon… mon costume… il a…

– Il a quoi ? insista Paméla.

Au lieu de répondre, Colette resta muette, repensant aux événements qui s'étaient déroulés quelques minutes auparavant. Puis elle EXPLOSA :

BOYCOTTAGE !

– Un moment… *Boycottage !*

– Qu'est-ce que tu as dit ? demanda Nicky.

Pour toute réponse, Colette lui montra son sac rose : VIDE !

– J'ai dit boycottage ! D'abord, Alicia m'a heurtée ; je pensais que c'était un incident alors qu'elle l'avait fait exprès pour me VOLER mon costume. Sans costume, nous ne pouvons pas concourir !

Les filles étaient PÉTRIFIÉES.

– Ce n'est pas juste ! Elles ne peuvent pas s'en sortir de cette façon ! s'exclama Nicky, plus résolue que jamais, en se PRÉCIPITANT hors des vestiaires.

Dans le couloir, elle se heurta à Renani, qui passait devant la porte.

Quand il la vit, le garçon demeura bouche bée : ses yeux qui brillaient parlaient pour lui. Nicky rougit, oublieuse de l'urgence.

– Nicky, tu es un as sur une planche de surf, mais en costume de danseuse de *hula* aussi tu es fabuleuse ! se reprit Renani.

BOYCOTTAGE !

La jeune fille sourit d'un air rêveur, mais retomba bien vite sur terre.

– Renani, il faut que tu m'aides ! On a volé le costume de Colette : nous devons à tout prix le retrouver !

Elle lui raconta la manière dont s'était déroulé le VOL.

– Approchez-vous de la scène et attendez qu'on vous appelle pour votre spectacle. Moi, je m'occupe du costume ! la *rassura* le garçon.

Nicky, **confiante**, revint dans le vestiaire et retrouva ses amies.

Peu après, alors qu'elles attendaient **anxieusement** leur tour près de la scène (il n'y avait plus que deux groupes avant elles !), les Téa Sisters

virent arriver Renani au pas de course, une expression satisfaite sur le visage.

En effet, le garçon tenait à la main… le **costume** de Colette !

Nicky lui sauta au cou, folle de joie.

– Mais comment as-tu fait pour le récupérer ?!

– **Simple !** répondit-il avec un clin d'œil. Par le même **STRATAGÈME** utilisé pour le voler en premier lieu !

Bravo !!!
Pfff...
Magnifique !

MAUNA LOA
QUELS BEAUX COSTUMES !
WOUAOUH !!!

PLEIN GAZ !

Grâce à leur prestation, les Téa Sisters BONDIRENT en tête du classement, à égalité avec l'équipe d'Apikalia, qui les félicita SPORTIVEMENT :

– Vous avez été magnifiques ! Et encore une fois, bravo à Colette pour vos costumes merveilleux !

– **MERCI !** répondit cette dernière.

Ajoutant pour elle-même :

– Même si nous avons eu chaud...

Pendant que tous rentraient à l'hôtel, les filles demandèrent à Renani s'il voulait les accompagner à l'observatoire. Le garçon accepta de *bon* cœur, non seulement parce qu'ainsi Nicky et lui passeraient plus de temps ensemble, mais aussi parce qu'aider les autres était dans sa NATURE. Nicky lui avait parlé en effet de cette histoire d'ÉRUPTION, et Renani avait tout de suite offert son aide pour éclaircir ce mystère.

– Prenons ma voiture, avait-il proposé. Elle est suffisamment grande pour que nous y tenions tous et c'est le moyen le plus RAPIDE d'arriver au Parc national, où se trouve l'observatoire.

Le groupe tout entier monta dans le 4X4 et Renani se mit au volant. Le garçon conduisait prudemment, en même temps qu'il servait de guide aux filles :

– L'observatoire a été conçu pour mesurer les risques que constitue la présence des deux volcans les plus actifs des îles Hawaï : le Kilauea et le Mauna Loa. Le parc est une véritable réserve NATURELLE et…

Il s'interrompit brusquement.

En regardant dans son rétroviseur, il s'était aperçu que quelqu'un les suivait.

LE PARC NATIONAL DES VOLCANS D'HAWAÏ

Créé au début du XXᵉ siècle, le Parc national des volcans d'Hawaï est une vaste zone de l'île qui s'étend de la mer jusqu'aux sommets du Mauna Loa et du Kilauea. De nombreuses espèces protégées y vivent, aussi bien végétales qu'animales, au point que ce parc a été déclaré Réserve de la Biosphère (1980) et inscrit au Patrimoine de l'Humanité (1987) de l'UNESCO.

– OH OH ! Je crois que nous avons de la compagnie !

Les Téa Sisters se RETOURNÈRENT et virent en effet une voiture sombre qui s'APPROCHAIT d'eux plein gaz. On aurait même pu croire qu'elle voulait… les tamponner !

Malheureusement, les vitres étaient complètement noires et il était impossible de VOIR qui était au volant.

– Quelque chose me dit qu'à bord de cette voiture se trouvent nos deux amis les faux policiers, déclara Violet.

Les filles étaient toutes tournées vers l'arrière pour garder les yeux sur la voiture mystérieuse.
Mais Nicky eut une idée. Se PENCHANT vers Renani, elle lui dit :
– Serais-tu capable de les semer ?
– Bien sûr ! affirma-t-il avec un SOURIRE. J'ai pris des cours de conduite sportive. D'ailleurs, Nicky, je suis sûr que ça te plai...
Colette intervint en **toussotant** :
– Euh... excusez-nous mais je ne crois pas que ce soit le bon moment pour parler sport !

Renani acquiesça et ACCÉLÉRA en soulevant derrière eux un gros nuage de poussière. L'auto des POURSUIVANTS tenta de regagner du terrain et parvint un peu à s'accrocher, sans perdre le 4x4. Mais Renani exécuta une série de changements de direction inattendus, et les sema. Après quoi, pour plus de sûreté, le garçon choisit un raccourci pour se rendre à l'observatoire.

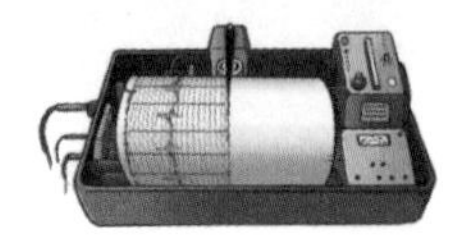

L'OBSERVATOIRE

Les Téa Sisters arrivèrent à l'observatoire épui-sées mais plus décidées que jamais à faire toute la lumière sur le mystère. Le moment était venu de découvrir pourquoi le plus **important** centre de recherches local n'avait pas noté les mêmes mesures que celles relevées par le professeur Van Kraken et son équipe.

Les filles furent accueillies par un groupe de chercheurs jeunes et fort disponibles.

À leur question sur les probabilités d'une **ÉRUP-TION**, tous secouèrent la tête avec vigueur.

– Il est impossible qu'une éruption du Mauna Loa se prépare, répondit l'un d'eux. Nous monitorons l'activité aussi bien du Mauna Loa que du Kilauea vingt-quatre heures sur vingt-quatre : nos

INSTRUMENTS sont absolument fiables et n'ont rien indiqué d'inhabituel. Vous pouvez être *tranquilles* !

Pourtant, les Téa Sisters ne se sentaient *nullement* tranquilles. Elles avaient la sensation que quelque chose ne **COLLAIT** pas… mais quoi ?

– Ah, bonjour, professeur ! s'exclama soudain l'un des chercheurs en regardant vers la porte.

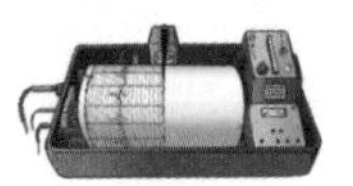

Puis il se tourna à nouveau vers les filles.

– Je vous présente le responsable de l'observatoire : le professeur George Gordon.

Les Téa Sisters serrèrent l'une après l'autre la main du professeur, avant de prendre congé : elles n'avaient plus de questions à poser.

Mais dès qu'elles furent sorties, Violet **tressaillit**, avant de porter la main à son front.

– Un instant… *J'ai trouvé ce qui ne va pas !*

Avez-vous reconnu vous aussi le responsable de l'observatoire ? Non ? Alors faites un saut à la page 45 et regardez avec qui Tom Berry parlait le soir de la fête de bienvenue !

TOUT EST CLAIR, MAINTENANT !

Renani regarda Violet d'un air interrogateur.

– Est-ce que je peux savoir de quoi tu parles ? demanda-t-il. Moi, je les ai trouvés très coopératifs, ces chercheurs de l'observatoire. Et leur responsable aussi.

Violet SECOUA la tête.

– Justement, c'est lui le problème : nous l'avons déjà vu, ce professeur Gordon. L'autre soir, il avait une discussion LOUCHE avec Tom Berry, le propriétaire de la résidence. Vous vous rappelez, les filles ?

Ses amies acquiescèrent et Renani finit par comprendre pourquoi Violet était si AGITÉE.

– Donc, tu crois que George Gordon est de mèche

avec Tom Berry pour que des informations restent CACHÉES ?

Paulina intervint :

– Si nos SOUPÇONS jusque-là reposaient uniquement sur les informations de Van Kraken, nous avons maintenant un élément de plus !

– Et alors ? Qu'allons-nous faire ? demanda Colette, perplexe, à ses amies.

Violet était sûre d'elle.

– Avant toute chose, nous devons mettre Ekana au courant de nos soupçons. Il n'a peut-être rien à voir avec cette histoire, mais il pourrait nous fournir des renseignements **IMPORTANTS**.

Les Téa Sisters et Renani grimpèrent à toute vitesse dans le 4x4 et repartirent pour la résidence, sans s'apercevoir que quelqu'un, du haut de l'observatoire, était en train de surveiller leurs mouvements…

VOUS AVEZ VU TROP DE FILMS !

Une fois à la résidence, les Téa Sisters dirent au revoir à Renani et se **PRÉCIPITÈRENT** dans le bureau d'Ekana.

Évidemment, avant d'entrer, elles vérifièrent que Tom Berry n'était pas dans les environs.

Malheureusement, ce ne fut pas simple pour les filles d'expliquer leurs hypothèses à Ekana, qui réagit en effet par un énorme et BRUYANT éclat de rire.
– Vous voudriez me faire croire, récapitula-t-il d'un ton moqueur, que Tom, avec la complicité d'un illustre savant, est en train de TROMPER la population tout entière, moi compris ? Et qu'il a construit la résidence dans un endroit très dangereux, prenant le risque d'être lui-même balayé par une éruption du volcan ?! HA, HA, HA ! Vous avez vu trop de films, mesdemoiselles !
Sur ces mots, il se leva et s'apprêta à les raccompagner jusqu'à la porte de son bureau.
– Veuillez m'excuser maintenant, j'ai eu beaucoup à faire aujourd'hui et il est déjà tard, dit-il d'un ton DÉCIDÉ.
Mais Paulina se planta devant lui, plus résolue que jamais.
– Et si nous avions raison ? Si votre GRAND-

PÈRE disait la vérité et cherchait à vous protéger des manigances de Tom Berry ?
Ekana resta SURPRIS.
Nicky surenchérit :
– Et si le Mauna Loa entrait vraiment en éruption ? Vous auriez sur la conscience le destin des nombreux touristes qui résident dans cet hôtel ! Ne croyez-vous pas que cela vaille la peine de vérifier si nos SOUPÇONS sont fondés ou pas ?
Ekana jaugea ces mots, pensif. Puis il poussa un soupir de résignation.

– D'accord. Dites-moi ce que vous comptez faire.
Violet SOURIT, soulagée.
– Simple ! Cette nuit, nous retournerons tous ensemble à l'observatoire pour y chercher des preuves. Et si George Gordon est complice de Tom Berry pour dissimuler l'éventualité d'une éruption, nous en trouverons.
Les Téa Sisters SORTIRENT du bureau d'Ekana, satisfaites.
Et là non plus, elles ne s'aperçurent pas que quelqu'un les observait.

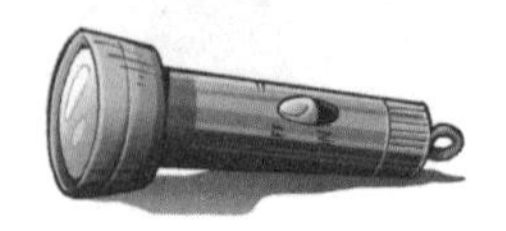

LA RECHERCHE DE PREUVES

Les Téa Sisters et Ekana attendirent la tombée du CRÉPUSCULE pour retourner à l'observatoire. Renani s'offrit pour accompagner de nouveau le groupe dans son 4X4.

Pendant tout le trajet, Ekana continua de hocher la tête et de marmonner pour lui-même, sceptique :

– Le Mauna Loa… entrer en éruption… mais quelles FARIBOLES…

En peu de temps, ils atteignirent l'entrée du PARC national puis l'observatoire. Ils laissèrent le 4x4 dans le parking désert et regardèrent autour d'eux. Tout était obscur, à part les petites lumières des sismographes et des ordinateurs allumés dans le sous-sol, où travaillait l'équipe chargée de la surveillance de NUIT.

SISMOGRAPHE

Le sismographe est l'instrument qui sert à enregistrer les phénomènes sismiques, autrement dit les tremblements de terre. Le sismographe relève le mouvement du sol, qu'il représente sur un graphique (sismogramme) comme une série de creux et de bosses. Les éruptions volcaniques provoquant des tremblements de terre, le sismographe est également utilisé pour surveiller l'activité des volcans.

Ils se glissèrent en silence dans la salle où ils étaient entrés le matin même et ils commencèrent à fouiller dans les bureaux et les dossiers, à la recherche de quelque document compromettant. Mais il n'y avait rien.

Paulina vérifia les graphiques des SISMOGRAPHES, qui apparaissaient normaux, sans pics soudains indiquant un DANGER imminent.

– Tout a l'air en règle ! dit Paulina, DÉCONCERTÉE. Pourtant, il doit y avoir quelque chose qui nous échappe, un détail important que nous n'avons pas pris en considération.

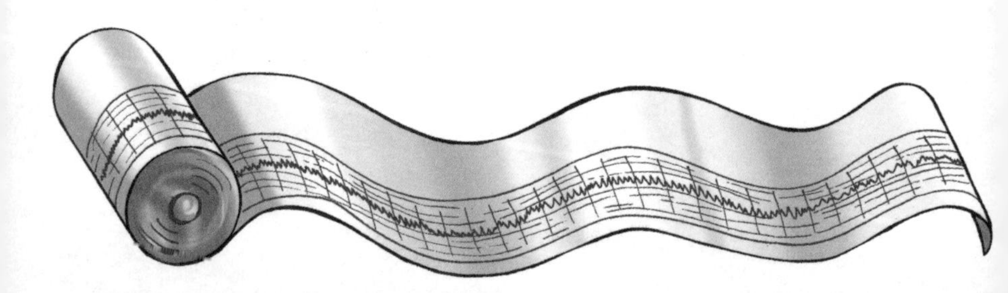

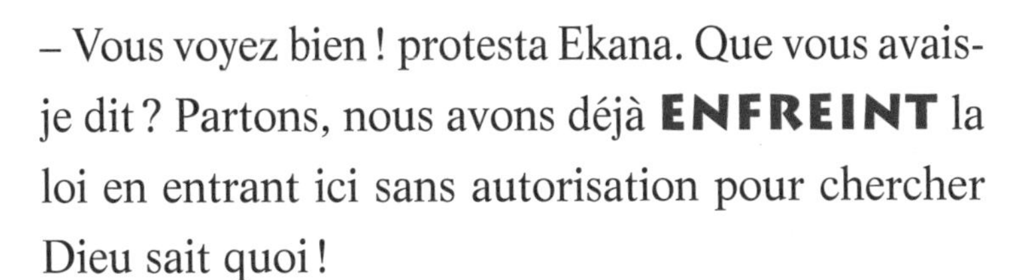

– Vous voyez bien ! protesta Ekana. Que vous avais-je dit ? Partons, nous avons déjà **ENFREINT** la loi en entrant ici sans autorisation pour chercher Dieu sait quoi !

Paulina, pendant ce temps, inspectait le dessous des bureaux et vérifiait les branchements ÉLECTRIQUES des ordinateurs.

– Regardez un peu ça ! s'exclama-t-elle soudain.

Elle désignait une petite boîte posée sur le sol ; tous approchèrent, INTRIGUÉS.

– Voilà pourquoi aucun chercheur de l'observatoire

n'a jamais rien relevé de SUSPECT concernant l'activité du volcan ! s'écria Paulina, triomphante.
– Ce serait peut-être le moment que tu nous expliques de quoi il s'agit exactement… En ce qui me concerne, ce BIDULE pourrait tout aussi bien être un lecteur de CD ou une boîte à crayons ! marmonna Colette.
Paulina expliqua d'un ton assuré :
– C'est une boîte de dérivation, mes amis, c'est-à-dire un dispositif qui recueille les informations provenant des sismographes et fait une « sélection » avant de les transmettre aux ordinateurs.
Colette battit des paupières, comme absente. Les autres Téa Sisters, Renani et Ekana nageaient eux aussi en pleine CONFUSION. 
– Laissez-moi vérifier une dernière chose et ensuite je vous exposerai tout de manière plus claire ! les assura Paulina, avant

de s'**AVENTURER** dans la jungle de fils et de câbles électriques enroulés sur le sol.

SURPRISE !

Après un contrôle rapide, Paulina se releva, l'air satisfait.

– C'est bien ce que je pensais ! s'exclama-t-elle. La boîte de dérivation est reliée à l'ordinateur de George Gordon !

Tous étaient suspendus à ses lèvres, surtout Ekana, qui la regardait avec inquiétude.

– Grâce à ce dispositif, Gordon faisait en sorte que toutes les informations des instruments de l'observatoire soient filtrées par son ordinateur, leur apprit Paulina en débranchant la boîte de dérivation. De cette façon, c'était lui qui décidait quelles données de l'activité des VOLCANS étaient transmises aux autres ordinateurs !

– Ce qui explique pourquoi les chercheurs n'ont jamais rien relevé de suspect ! s'illumina Nicky. C'était Gordon qui les empêchait d'enregistrer l'ACTIVITÉ réelle du Mauna Loa, en filtrant les données au préalable !
Ekana en demeurait bouche bée.
Paulina reprit la parole, tout excitée, complétant le tableau du COMPLOT.
– Voilà comment cela a dû se passer : c'est Tom Berry qui vous a **CONVAINCU** de vous associer

avec lui, n'est-ce pas ? dit-elle en regardant Ekana droit dans les yeux. De cette façon, il pourrait construire la résidence en exploitant au maximum l'emplacement magnifique de votre terrain près du volcan.

– Sauf qu'il y avait un obstacle, fit Pam en écho. Il devait faire taire toute rumeur sur une possible éruption du Mauna Loa !

Colette ajouta :

– Et c'est ainsi que notre ami Tom Berry a dû corrompre le directeur de l'observatoire, George Gordon, pour détourner toutes les données sur l'activité du VOLCAN...

– Tant que l'observatoire ne relevait ancun DANGER, personne, ni les radios, ni les journaux, ni les télévisions, n'avait de raison de s'alarmer ! conclut Violet.

Ekana s'apprêtait à répliquer, incrédule, quand quelqu'un alluma la lumière et applaudit.

OH!
HÉ!
MAIS...

Bravo, mes petites fouineuses !
Hé, hé, hé !
Fini de fourrer votre nez partout, maintenant !

SEPT TÉMOINS GÊNANTS

À la porte de la salle, Tom Berry fixait les Téa Sisters, et dans ses YEUX brillait une lueur sinistre. Près de lui se trouvaient Gordon et les deux faux **POLICIERS**.

– Très fortes, nos détectives ! fit-il. Il fallait que vous veniez jusqu'ici fourrer votre nez dans mes affaires !

Ekana s'approcha de Tom Berry en pointant sur lui un index menaçant.

– Toi… toi… tu n'es qu'un vaurien ! Tu m'as trompé et tu as trompé toute la population de Hilo !

D'un geste agacé, Tom écarta la main d'Ekana.

– Tu es tellement naïf, que ce n'est même pas amusant de te rouler dans la farine ! ricana-t-il.

Ekana s'élança sur lui mais un des policiers le **BLOQUA** immédiatement en le retenant par les bras.

– Tu n'as pas intérêt à bouger, pauvre imbécile d'associé, commenta Tom d'un ton RAILLEUR. Tu les vois, ces deux-là ? Ils sont à mon service !

Paulina intervint :

– Bien sûr ! Et je parie que ce ne sont même pas de vrais policiers !

Tom acquiesça :

– Compliments, ma petite ! Encore une fois, tes intuitions me SURPRENNENT !

– Et tu ne peux pas imaginer toutes les faveurs

et les informations qu'on obtient quand on est déguisé en policier ! se vanta l'un des deux sbires, pendant que l'autre acquiesçait avec un SOURIRE complice.

Il projeta Ekana vers les filles et ajouta sur un ton plus SÉRIEUX :

– Bien que je doive reconnaître qu'aujourd'hui vous avez été très fortes pour nous semer.

Violet en resta les yeux écarquillés.

– Alors, c'était vous qui nous SUIVIEZ sur la route ?

Paulina protesta :

– Vous rendez-vous compte qu'à cause de vos mensonges toute la population de l'île est en danger ? Comment faites-vous pour ne pas avoir mauvaise conscience ?

Tom éclata d'un rire SONORE.

– Écoutez-moi cette péronnelle ! « La population ! » Qu'est-ce que j'en ai à faire, moi, de la « population » ?

Tom fit un signe aux faux policiers et l'un d'eux

s'empara de CORDES et de rouleaux adhésifs. Puis il ajouta, sarcastique :
– Mesdemoiselles, l'aventure est terminée. En ce qui me concerne, vous et vos amis n'êtes plus que des témoins gênants.
Les deux sbires attrapèrent Nicky, qui était la plus proche. Renani réagit d'instinct.
– Lâchez-la ! hurla-t-il en se jetant sur eux.
Ekana se LANÇA pour lui prêter main-forte mais Tom fut plus rapide : d'un croche-pied, il fit tomber son ancien associé sur le jeune homme, ce qui les mit tous les deux hors jeu.
Les faux policiers reprirent rapidement le contrôle de la situation et les Téa Sisters, Ekana et Renani furent attachés et bâillonnés.
– On les met où, chef ? demanda l'un.
– Nous pourrions les abandonner dans les souterrains de l'observatoire, proposa George Gordon. Personne n'y va jamais, et même s'ils crient, les murs sont insonorisés.
– Dans les souterrains, alors ! approuva Tom.

George **POUSSA** les Téa Sisters, Ekana et Renani vers une petite porte, derrière laquelle on entrevoyait des escaliers sombres. Les **PRISONNIERS** furent forcés de descendre jusque dans une pièce sans fenêtre.

Une fois en bas, les deux faux policiers leur **ATTACHÈRENT** aussi les pieds, puis remontèrent.

Tom Berry referma la porte, et la pièce fut plongée dans un **NOIR** profond.

PRISONNIERS !

Ligotés comme ils étaient, Ekana, Renani et les Téa Sisters se virent perdus. Ils avaient beau tenter de desserrer leurs liens et GÉMIR à bouche fermée, impossible de communiquer entre eux ni de voir le lieu où ils étaient enfermés.
Ils n'allaient jamais pouvoir s'ENFUIR !
« Si seulement je parvenais à détacher ces cordes… » se disait Nicky, en tirant de toutes ses forces sur ses mains et sur ses pieds. Elle essaya de se rapprocher de ses amis en rampant par TERRE, mais ne réussit qu'à se cogner contre les murs, et à se faire sûrement des bleus partout.

« Inutile : nous ne réussirons jamais à nous libérer ! » se dit-elle, découragée.

Les autres aussi se rendirent vite compte qu'ils ne pouvaient pas se DÉTACHER tout seuls. Ils étaient impuissants !

Au moment où ils commençaient à perdre tout espoir, ils entendirent cependant un BRUIT de serrure et de la lumière illumina le souterrain.

– Vous allez tous bien ? demanda une voix rauque par la fente de la porte là-haut.

Les Téa Sisters reconnurent aussitôt cette voix : c'était celle de Nahele ! Le grand-père d'Ekana était venu les **SAUVER** !

– Je me doutais bien qu'il se préparait quelque chose de suspect, et je me suis posté près de l'observatoire. Je vous ai vus arriver, et j'ai vu ensuite Tom Berry. La suite, vous la connaissez.

Les filles poussèrent un soupir de soulagement : personne ne voulait jamais croire aux paroles de ce BRAVE homme, mais il avait saisi la situation avant tout le monde ! Nahele descendit lentement

l'escalier en s'aidant de sa canne, puis s'occupa de défaire les liens des prisonniers.

Aussitôt libéré, Ekana se leva et serra son grand-père dans ses bras, à la fois désolé et reconnaissant.

– GRAND-PÈRE, pardonne-moi, c'est toi qui avais raison ! Tom Berry est un voyou et moi, j'ai été trop naïf. Je me prenais pour un homme d'affaires !

Nahele hochait la tête, compréhensif.

– C'est normal que tu veuilles tracer ton propre chemin, Ekana, le consola-t-il. Mais il arrive malheureusement qu'on tombe sur des gens sans SCRUPULES. L'important, c'est de ne jamais renier les siens ni ses propres valeurs, et de savoir admettre que l'on s'est trompé, comme tu le fais maintenant !

Le groupe **remonta** l'escalier et se retrouva de nouveau dans les bureaux de l'observatoire. Mais une vilaine surprise les y attendait : les lumières des sismographes clignotaient toutes à la fois et les instruments de mesure semblaient pris de FOLIE...

Cela ne pouvait signifier qu'une seule chose : une activité **sismique** augmentait.

Le Mauna Loa allait entrer en éruption !

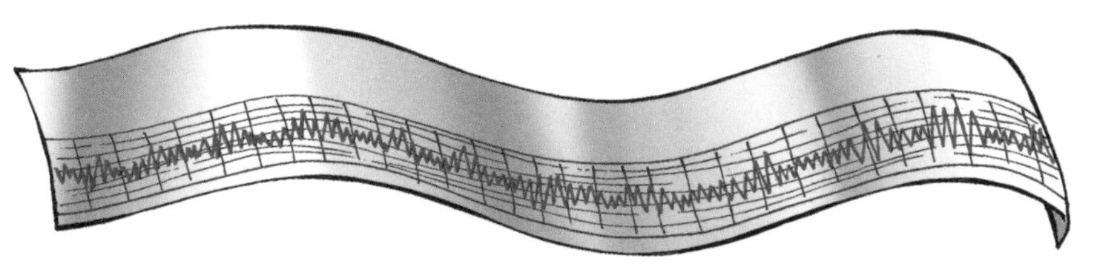

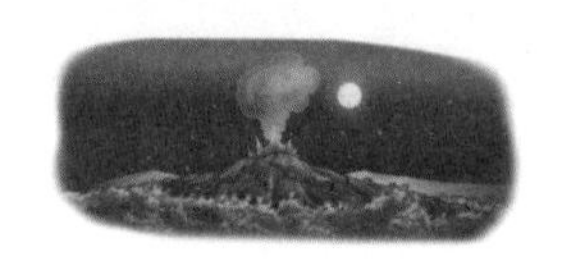

ATTENTION : COULÉE DE LAVE !

Les Téa Sisters se regardèrent avec effroi : il fallait faire quelque chose, vite, mais quoi ? Après un instant de PANIQUE, Paulina se reprit, saisit son téléphone portable et appela le professeur Van Kraken.

– Professeur, vous aviez raison sur tout ! s'écria-t-elle d'un ton alarmé. Nous sommes à l'observatoire et les instruments s'affolent : il va y avoir bientôt une éruption du Mauna Loa !

Le professeur garda son calme et donna des indications claires et précises :

– Écoutez-moi bien : d'après mes calculs, la coulée de lave devrait se diriger vers la résidence. Vous devez vous y rendre au plus vite pour faire évacuer les bâtiments. Mettez tous les occupants

en sûreté, vous avez bien compris ?

– **Clair** et net !

Les Téa Sisters, Renani, Ekana et le vieux Nahele coururent avertir les chercheurs de l'équipe de **NUIT**, avant de se ruer à l'extérieur.

Ce fut à ce moment que l'on entendit une **VIOLENTE** explosion, aussitôt suivie d'un énorme craquement dans le sol. Le Mauna Loa faisait entendre sa voix !

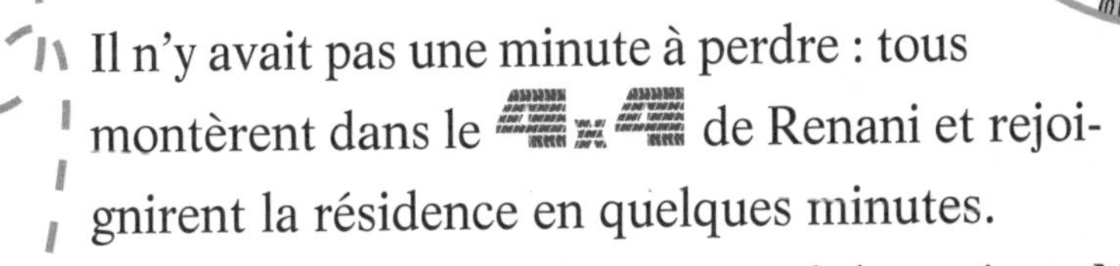

Il n'y avait pas une minute à perdre : tous montèrent dans le **4x4** de Renani et rejoignirent la résidence en quelques minutes.

Les pensionnaires et le personnel dormaient. Nul ne s'était aperçu de la coulée de lave qui avançait inexorablement vers l'hôtel.

Les filles, Renani, Ekana et Nahele se précipitèrent

AAAAAHHHHH !
AU SECOURS !
VITE, À L'HÔTEL !
EEEHHHHH !

EN VOITURE !

à l'intérieur de l'hôtel et commencèrent à frapper à toutes les portes.

– Réveillez-vous ! Le Mauna Loa entre en **ÉRUPTION** !

– Sortez tous, vous êtes en danger !

– Courez à l'extérieur, mettez-vous à l'abri !

– Vite, pas de temps à perdre !

Les occupants de l'hôtel, effrayés, sortaient de leur chambre.

Comme s'il en était besoin, Vanilla, debout contre la porte de la sienne, ajouta à la confusion générale en déclarant avec mépris :

– Mais quel danger ? N'écoutez pas ces filles, elles ne savent que MENTIR !

ELLES NE SAVENT QUE MENTIR !

Même dans un tel moment, Vanilla semblait vouloir **contrecarrer** les Téa Sisters !

Dans le couloir devant sa chambre, elle se mit à hurler :

– Une secousse de rien du tout et déjà vous CRIEZ au danger ! Arrêtez donc de... EH !

Colette l'avait attrapée par un bras et la tirait devant une fenêtre. Le volcan en éruption était un spectacle impressionnant. Des milliers de pierres ardentes JAILLISSAIENT du cratère, tandis qu'une langue de lave incandescente descendait le long de sa pente, de plus en plus épaisse, de plus en plus rapide et se dirigeant droit vers la résidence.

Vanilla en avala sa salive, les yeux écarquillés. Puis

elle craqua et **éclata** en sanglots, se serrant contre Colette à l'étouffer.

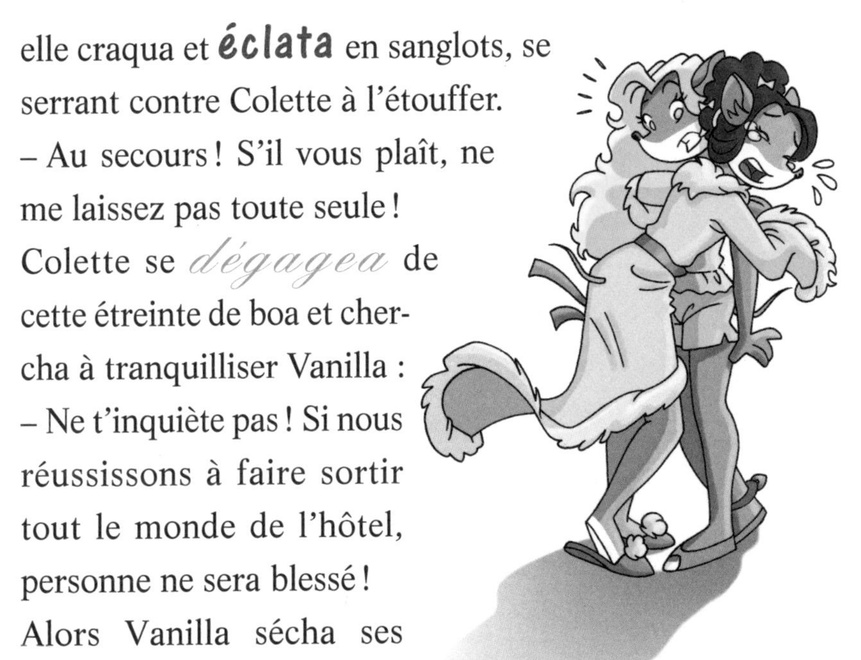

– Au secours ! S'il vous plaît, ne me laissez pas toute seule !

Colette se *dégagea* de cette étreinte de boa et chercha à tranquilliser Vanilla :

– Ne t'inquiète pas ! Si nous réussissons à faire sortir tout le monde de l'hôtel, personne ne sera blessé !

Alors Vanilla sécha ses larmes et courut frapper aux portes des chambres en criant de toutes ses forces :

– **SORTEZ TOUS !!! LE VOLCAN EST EN ÉRUPTION, VOUS ÊTES EN DANGER DE MOOORT !**

Elle cria tant et si bien que les pensionnaires encore hésitants se PRÉCIPITÈRENT aussitôt dehors !

Pendant ce temps, Ekana, Renani et Nahele avaient accompagné vers l'**extérieur** le personnel de la résidence, en s'assurant que personne ne restait à l'intérieur des bâtiments.

– Vite, par ici ! les exhortait Ekana d'une voix ferme. Montez tous dans les voitures et allez vers la baie !

C'était une **COURSE** contre le temps : la lave s'approchait, de plus en plus **menaçante**, même si la situation à l'hôtel était sous contrôle.

Alors que tous s'éloignaient pour se mettre en sûreté, Pam s'aperçut qu'une faible lumière provenait d'une pièce de la résidence. Par la fenêtre, on entrevoyait les ombres de personnes en mouvement.

– Attendez, regardez là ! cria-t-elle. Il y a encore des gens !

Ekana suivit son regard et sursauta.

– C'est la fenêtre du bureau de Tom !

VOUS ?!

Les Téa Sisters firent irruption dans le bureau de Tom Berry et le trouvèrent accroupi devant un **COFFRE-FORT** ouvert.

Près de lui, George Gordon ÉCLAIRAIT l'intérieur du coffre à l'aide d'une lampe de poche, pendant que les deux faux policiers s'occupaient d'entasser des liasses de billets dans un sac.

Pam alluma brusquement la lumière, faisant **sursauter** les quatre rats d'égout.

– Surprise ! s'exclama-t-elle.

– Vous ?! s'écria Tom. Mais comment avez-vous fait pour vous *libérer* ?

– Incroyable, n'est-ce pas ? ironisa Nicky. Non seulement nous sommes très intelligentes et malignes, mais nous sommes très ADROITES de nos mains !

À ce moment, Paulina s'avança et dit promptement :

– Allez, il faut partir : la LAVE s'apprête à submerger la résidence ! Si vous restez ici, vous serez emportés vous aussi !

– Stupidités ! s'exclama George Gordon. Mes calculs montrent que la lave ne coulera pas de ce côté. Ce n'est qu'une fausse alerte !

Pour toute réponse, une seconde explosion, plus violente encore, secoua l'édifice entier, tandis

qu'un grand éclair de lumière illuminait la pièce.
Un des faux policiers courut regarder : la lave avait atteint le mur de la résidence et continuait d'avancer, implacable, au milieu des EXPLOSIONS de lumière. Il sursauta.
– Elles ont raison ! Sauvons-nous, les gars, sauvons-nous !
Et il s'enfuit sur-le-champ, aussitôt SUIVI par son compagnon.
Tom foudroya George du regard.
– Toi et tes calculs ! tonna-t-il. Tu es un incapable, voilà ce que tu es ! Tu parles d'un expert… Tu n'es qu'un ESCROC !
Les Téa Sisters échangèrent des regards abasourdis.
– C'est lui qui dit ça, vraiment ! ironisa Pam.
Ce fut alors que la COULÉE de lave pénétra à l'intérieur de la résidence. Les filles ne perdirent pas de temps et poussèrent dehors aussi bien Tom que George. Dans sa hâte, Tom perdit son sac

rempli des billets qu'il avait réussi à extraire du coffre-fort, mais il eut à peine le temps de s'en apercevoir que… la lave avait déjà englouti le sac !

WOUUUUSHHH !

Les Téa Sisters et les deux MALFAITEURS en réchappèrent de justesse : quelques instants plus tard, la résidence était emportée par la coulée de lave, qui poursuivit son cours impétueux vers la mer.

La marée incandescente engloutit tout sur son passage : les bâtiments, les rochers, les arbres et les choses, plus ou moins précieuses…

– M-mon argent… balbutia Tom Berry d'une voix incrédule.

Mais c'était trop tard.

LA VÉRITÉ FINIT TOUJOURS PAR ÉCLATER

Les deux filous avaient donc échappé au volcan, mais ils n'étaient pas au bout de leurs PEINES. Car à la sortie, ce n'étaient pas les POMPIERS qui attendaient Tom et George, mais une voiture de la police (avec de vrais policiers, cette fois !).

À l'intérieur étaient déjà assis, menottes aux poignets, les deux faux policiers qui MARMONNAIENT, la tête basse et les sourcils froncés.

– Eh bien ?… Que se passe-t-il donc, ici ?! hurla Tom.

Le commissaire de police prit à sa ceinture deux autres paires de menottes et lui dit :

– Tom Berry, nous vous avons à l'œil, toi et tes COMPLICES, depuis quelque temps déjà !

Avec tes faux policiers tu as berné des dizaines de fonctionnaires pour obtenir les permis de CONSTRUIRE la résidence « Fleurs de feu ».

Tom Berry se raidit et sentit dans son dos une sueur FROIDE.

– Il y a plus, poursuivit le commissaire d'un ton encore plus vif. Tu as trompé ton associé Ekana Kahanamoku, afin d'utiliser son terrain. Tu as caché des informations sur le volcan Mauna Loa avec l'aide de ton complice George Gordon, mettant ainsi en danger la sécurité de la population tout entière de cette île ! Toi et tes complices, je vous arrête !

Un peu déconcerté, Tom Berry reprit rapidement toute son arrogance et explosa d'un rire forcé. Puis il s'écria, sarcastique :

– Vous m'ARRÊTEZ ?!? Et où sont vos preuves ? Je vous le dis, moi : vous n'en avez pas ! La lave a englouti toutes mes archives ! Il n'existe plus un seul document, plus rien de rien me concernant, ni moi ni mes affaires !

– Les preuves existent, bien au contraire ! intervint alors Paulina à la surprise générale en tendant son portable.

Tom la fixa d'un air interrogateur, pendant que George devenait LIVIDE.

– Peut-être ne le savez-vous pas, monsieur Berry, poursuivit Paulina, qu'entouraient ses amies. Ce petit APPAREIL peut à l'occasion devenir un excellent magnétophone...

Paulina appuya sur une touche, et la voix de Tom fit soudain irruption, retransmise clairement par l'appareil : « Qu'est-ce que j'en ai à faire, moi, de la "population" ? »

Quand Paulina et ses amis avaient été surpris par Tom et George à l'observatoire, la jeune fille avait réussi à enregistrer les paroles de Tom sans que personne ne s'en aperçoive... Heureusement* !

Paulina appuya sur la touche « **STOP** » et toutes les personnes présentes se tournèrent vers Tom Berry. Tel un masque, l'ARROGANCE avait glissé de son visage. L'escroc se contentait maintenant de serrer les poings en silence.

L'AUBE D'UN NOUVEAU JOUR

À l'aube de ce nouveau jour, la lave terminait son parcours dans l'océan, sans provoquer de dégâts supplémentaires.

Le seul bâtiment détruit fut, heureusement, la résidence « Fleurs de Feu ». Et ce n'était guère étonnant : c'était l'unique construction abusive présente dans toute la zone qui entourait le VOLCAN !

– Il était écrit que cela se terminerait ainsi ! soupira Ekana d'un ton résigné.

Les Téa Sisters, Renani, Ekana et Nahele étaient au bord de la mer, admirant de loin la lave incandescente qui continuait, rouge encore, de se déverser le long des pentes du volcan. Quel incroyable spectacle de la NATURE !

QUELLE MERVEILLE !
REGARD.

UN SPECTACLE À COUPER LE SOUFFLE !
WAOUH !
OOOOH !

Nahele posa une main sur l'épaule de son petit-fils.
– Tu trouveras bientôt ta VOIE, mon petit. Et cette fois, sans prendre de dangereux raccourcis !
Ekana lui répondit en SOURIANT :
– Dans la vie, un Tom Berry suffit largement… et je crois que j'ai retenu la leçon !
Puis ils se dirigèrent tous ensemble vers le stade de la ville où avaient eu lieu les compétitions de *hula* : c'était là que les jeunes s'étaient tous donné rendez-vous après l'éruption.

Évidemment, à cause de l'état d'**URGENCE**, la compétition fut suspendue, sans qu'aucun vainqueur soit déclaré. Il faudrait revenir l'année suivante !

Même Vanilla, au lieu de regretter l'annulation de la compétition, tint à venir remercier Colette et les autres Téa Sisters.

– Cette fois, je dois le reconnaître : sans vous, j'aurais grillé à la **BROCHE** !

Mais elle ne put résister et ajouta :

– Ce qui ne veut pas dire que l'an prochain, ce ne sera pas nous les championnes de *hula*. **C'est clair ?!**

ALOHA OE !

L'heure du retour était venue, et tous les concurrents de la compétition de *hula* se rendaient à l'aéroport de Hilo. Chacun n'avait réussi à sauver que quelques affaires, un **bagage** avec le strict nécessaire. Les Téa Sisters elles aussi, accompagnées de Renani, n'avaient chacune qu'un petit sac. Toutes, sauf Colette, qui se présenta inexplicablement à l'embarquement avec son sac à main rose, sa valise à roulettes tout aussi rose et son vanity-case rempli de masques de beauté, vernis et LIMES à ongles.

– Le voilà, pour moi, le strict nécessaire ! commenta-t-elle en voyant le regard perplexe de Pam.

– Colette, je n'arrive pas à y croire : comment

as-tu réussi, dans ce CHAOS, à sauver tous tes bagages ?!

Colette se contenta de hausser les ÉPAULES.

– Oh, mais c'est juste une question d'organisation !

Renani escorta les filles avec un immense plaisir… surtout pour pouvoir être avec Nicky jusqu'au dernier moment !

Quand vint hélas l'heure de se quitter, tous deux

se **serrèrent** longuement les mains, se regardant sans parler.

– Hem, les enfants… je ne voudrais pas vous déranger mais notre avion va bientôt partir… bafouilla Pam, très **embarrassée**.

Puis elle chuchota à Paulina :

– Je n'ai jamais vu Nicky comme ça !

Violet s'en mêla, avec un sourire :

– Mais oui, notre amie la grande sportive a décou-

vert son côté **romantique** ! Regardez-les : ils sont trop mignons !

– Tiens, j'ai un cadeau pour toi, murmura Renani, prenant dans sa poche un petit paquet, qu'il tendit à Nicky.

La jeune fille l'ouvrit, toute heureuse : c'était un CD de chansons hawaïennes !

– Écoute la chanson numéro 5, dit le garçon, en **rougissant** un peu. Ce sont les mots que je veux te dire !

Nicky sourit, et rougit à son tour jusqu'à la racine des cheveux.

Dès qu'elle fut dans l'avion, elle écouta la chanson : elle s'intitulait *Aloha Oe* et c'était une célèbre chanson **hawaïenne**, qui parlait de deux personnes qui se retrouvent.

Nicky se blottit contre le dossier du siège et se laissa envelopper par la mélodie, soupirant de bonheur.

Bientôt elle s'endormit, les écouteurs dans les oreilles, avec la musique qui lui **RÉCHAUFFAIT** le cœur et l'accompagna doucement jusqu'à l'*île des Baleines*.

SOUVENIRS HAWAÏENS

Quand mes amies les Téa Sisters eurent terminé le récit de leur **AVENTURE**, j'étais très touchée et je leur promis que je la raconterai en détail dans mon prochain livre. Il est rare

que je me laisse emporter par l'émotion, mais j'avoue que lorsqu'il s'agit de mes élèves préférées, j'ai du mal à me retenir !

– Et que sont-ils devenus, Tom, George et leurs complices ? demandai-je pour finir, **curieuse**.

– Ils sont en **PRISON**, heureusement ! répondit Pam.

– C'était tout ce qu'ils méritaient ! commenta Colette d'un ton ferme.

Violet acquiesça :

– En enquêtant sur Tom Berry, la police a découvert qu'il trempait dans de nombreuses affaires LOUCHES. Il avait l'habitude, apparemment, d'entortiller des gens du coin en fondant avec eux des sociétés dont lui-même récoltait tous les avantages... Comme il a fait avec Ekana !

Paulina ajouta :

– De cette façon, Tom Berry avait réussi à monter tout un empire, dont il tirait les ficelles.

– **WOUAOUH, LES FILLES !** Cette fois, vous avez fait les choses en grand ! m'exclamai-je, admi-

rative. Folklore, malversations, mystères, aventures et… sentiments !

Nicky SOURIT timidement, tandis que je lui faisais un clin d'œil.

Mes jeunes amies grandissent, et ne cessent de progresser de jour en jour.

Et moi, je suis vraiment très FIÈRE d'elles !

Mieux que des amies. Des sœurs !
Téa Sisters

VOLCANS !

Les volcans sont des fissures dans la croûte terrestre, d'où sortent des masses incandescentes à l'état liquide, solide ou gazeux. La matière éruptive s'amasse de part et d'autre de la fissure, formant peu à peu une montagne (cône volcanique).

À L'INTÉRIEUR DU VOLCAN

COMMENT SE FORME UN VOLCAN ?

La formation d'un volcan rappelle ce qui arrive avec une casserole remplie d'eau et posée sur le feu. La chaleur agit sur la couche d'eau au fond de la casserole. Cette eau chaude devient plus légère que l'eau froide et remonte. Une fois à la surface, cette eau chaude s'évapore sous forme de vapeur.
C'est le même phénomène avec les masses de roche fondue qui se trouvent dans les profondeurs du globe terrestre. Les bulles de roche en fusion se réchauffent, commencent à remonter et à faire pression contre la croûte terrestre, attaquant son épaisseur. Là où se créent des zones de rupture ou des canaux de sortie se forment les volcans !

Le cône du volcan est formé de la lave des éruptions précédentes. Cette lave remonte par la cheminée (le canal qui vient des profondeurs de la terre jusqu'en surface) et, à mesure de sa sortie, se dépose autour de la cheminée, formant peu à peu les pentes du volcan.

LES VOLCANS À LA PRÉHISTOIRE

Dans un lointain passé géologique, les volcans étaient bien plus nombreux et actifs qu'aujourd'hui. Bon nombre des montagnes que nous connaissons sont les restes d'anciens volcans, et beaucoup de lacs de montagne ne sont autre chose que des bouches de volcan éteints, remplies ensuite par les eaux pluviales et les eaux de source.
Ce sont les volcans qui ont «pollué» l'atmosphère primordiale de la terre, à travers l'émission d'anhydride carbonique et de vapeur d'eau. Ce phénomène important est un des facteurs qui ont contribué à l'apparition de la vie sur notre planète.

PEUT-ÊTRE NE SAVEZ-VOUS PAS QUE LES VOLCANS...

En me connectant sur mon téléphone portable, j'ai découvert toute sorte de curiosités à propos des volcans. Veux-tu les connaître aussi ? Alors, lis ce qui suit !

À QUELLE VITESSE LA LAVE S'ÉCOULE-T-ELLE ?

Un fleuve de lave, quand il remonte des profondeurs de la terre, peut atteindre la vitesse de quelques dizaines de kilomètres/heure. Mais à quelques centaines de mètres de la bouche éruptive, la vitesse réduit beaucoup, à cause du refroidissement de la lave.

QUELLE EST LA TEMPÉRATURE DE LA LAVE ?

Près de la bouche du cratère, la lave atteint des températures très élevées, autour des 1500 °C !

CEUX QUI NE DORMENT JAMAIS

Il n'existe que quatre volcans au monde dont le cratère contienne un lac de lave qui ne se solidifie jamais : l'Erta Ale en Éthiopie, le Kilauea aux îles Hawaï, l'Érébus en Antarctique et le Nyragongo au Congo. Ce phénomène est dû à l'émission constante de gaz souterrains très chauds.

LE PLUS DANGEREUX

Dans la langue des habitants des Andes, son nom, Cotopaxi, veut dire « Col de la Lune », parce que la nuit on croirait que notre satellite vient se poser précisément à son sommet. Durant les deux derniers siècles, ce volcan a connu plus de cinquante éruptions, détruisant chaque fois ce qu'il y avait sur ses pentes par des avalanches de cendres et de boue.

LE PLUS HAUT

Le Mauna Loa culmine à plus de 4 000 mètres au-dessus de la mer, mais ce volcan s'enfonce sous l'eau de plus de 5 000 mètres encore. Le fond de l'océan, à son tour, présente à cet endroit une dépression de 8 000 mètres, en raison de la masse du volcan.
On pourrait presque dire que le Mauna Loa fait 17 kilomètres de hauteur !

LE PLUS BLEU

À l'intérieur du cratère du volcan Maly Semiachik, en Russie, s'est recueillie une eau dont la couleur est turquoise comme celle d'une piscine ! Cette couleur est due à la présence d'une composition chimique particulière de la roche.

LES PLUS NOMBREUX

Il existe en Indonésie une zone géologique caractérisée par une activité volcanique très intense. On l'appelle l'« anneau de feu », et elle compte plus de cent volcans actifs !

LES CALDEIRAS (OU CALDERAS)

Une caldeira se forme quand le roches d'un volcan commencer à s'émietter et s'écrouler sous le propre poids, formant une cavi circulaire.
L'une des caldeiras les plus spec culaires se trouve sur le volcan Ce Azul, un des plus hauts de l'île I bela, dans l'archipel des Galapag

Vous avez vu toutes ces curiosités à propos des volcan C'est un phénomène naturel très intéressant, n'est-ce pa Au point qu'à mon retour au collège de Raxford, j décidé d'aider le professeur Van Kraken dans s recherches !

JOURNAL à dix pattes !

BRICOLONS-NOUS UN VOLCAN...

VEUX-TU ESSAYER DE SIMULER L'ÉRUPTION D'UN VOLCAN ENTRE LES MURS DE TA CUISINE ?
DEMANDE L'AIDE D'UN ADULTE, ET METS-TOI AU TRAVAIL !

IL TE FAUT :
des sachets en papier pour fruits et légumes ; un gobelet en métal ; du ruban adhésif ; du vinaigre ; du bicarbonate ; une petite cuillerée de gouache rouge ; un vieux journal.

1

Étends le journal sur un plan de travail et pose dessus le gobelet en métal. À l'aide des sachets en papier, modèle les pentes du volcan, en les fixant au besoin grâce au ruban adhésif.

Remplis la moitié du gobelet de vinaigre, ajoute la gouache rouge, que tu auras diluée dans une tasse avec un peu d'eau.

Avec l'aide d'un adulte, ajoute dans le gobelet une ou deux cuillerées de bicarbonate, et observe ce qui se passe alors…

Comme par magie, au bout de quelques secondes, le volcan commencera à cracher de la lave rouge !

CETTE SIMULATION T'A PLU ? CROIS-MOI, TES AMIS SERONT ÉTONNÉS DU RÉSULTAT !

JEU

Au secours ! L'éruption du volcan a donné lieu à une grande confusion ! Saurais-tu remettre à leur place le pièces qui manquent pour compléter l'image ?

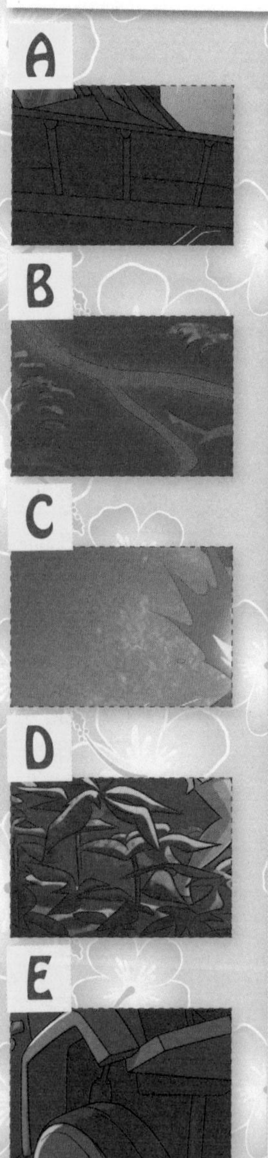

TREMBLEMENT de terre dans les pièces du puzzle !

Les solutions se trouvent à la page 214.

LA HULA !

Veux-tu apprendre à danser la *hula* ? Parfait ! Alors place-toi devant un miroir (pour voir tes mouvements) et… laisse-toi aller au sens du rythme ! Souviens-toi d'exprimer dans tes mouvements l'harmonie et la grâce !

Apprenons ensemble les pas de base.

1

Ouvre la jambe gauche vers l'extérieur, de façon à ce que tes pieds soient éloignés l'un de l'autre d'environ 30 cm (la largeur de tes épaules).

2

Plie légèrement les genoux, serre les poings et pose la jointure de tes doigts sur la pointe de tes hanches.

UNE DANSE SPÉCIALE

3

En restant dans cette position, fais un pas de côté vers la droite.
À chaque pas, pose d'abord la pointe du pied puis le reste de la voûte plantaire.

4

Ramène ton pied gauche près du pied droit puis fais ce pas vers la droite une seconde fois.

5

Refais la même chose en allant cette fois-ci vers la gauche, d'abord en bougeant la jambe gauche puis la jambe droite.

MOUVEMENTS AVANCÉS

Après avoir appris les pas de base, ajoute les mouvements des hanches.

1

Répète les mouvements décrits dans les pages précédentes mais, en correspondance avec chaque pas, ajoute le mouvement des hanches. Chaque fois que tu avances le pied, remonte la hanche de la jambe opposée, en soulevant le pied sur la pointe.

2

Quand tu rapproches les pieds, accompagne le mouvement par un balancement des hanches de manière à effectuer des mouvements harmonieux de « vague ».

CHORÉGRAPHIE FINALE

Pour finir, il suffit d'ajouter les mouvements des bras. Es-tu prête ?

1

Reprends le mouvement initial et plie le bras gauche devant ta poitrine, comme sur la figure. Garde le bras droit tendu à la hauteur de l'épaule. Souviens-toi de garder toujours les mains et les bras détendus.

2

Exécute les pas vers la droite, en faisant bouger tes hanches de manière sinueuse, tout en gardant les bras souples. Suis leur mouvement du regard.

3

Répète l'ensemble de ce mouvement vers la droite, en intervertissant la position des bras. Continue ainsi, avec des pas vers la droite puis vers la gauche, en alternant la position des bras et en les suivant du regard.

Colliers, bracelets...

As-tu apprécié la leçon de *hula* donnée par Violet N'oublie pas cependant que pour danser la *hula*, t dois porter des colliers et des bracelets de fleurs ! Voi quelques suggestions pour compléter ta tenue hawaïenne.

IL TE FAUT : du papier crépon de différentes couleurs ; des ciseaux à bo rond ; du fil vert (en coton ou en laine) ; une aiguille ; de la colle.

ATTENTION : pense à toujours te faire aider par un adulte !

COMMENT FAIRE : reproduis les trois gestes qui suivent : c'est facile !

1. Prends une feuille de papier crépon et replie-la sur elle-même plusieurs fois. Découpe ensuite une forme de fleur, de façon à obtenir plusieurs fleurs les unes sur les autres (plus tu auras de fleurs, plus ton collier sera fourni !)

2. Enfile le fil dans l'aiguille. Avec l'aide d'un adulte, fais passer l'aiguille et son fil au centre de chaque fleur.

... et couronnes

3. Colle un pétale de la première fleur à un pétale de la deuxième, et ainsi de suite pour toutes les fleurs. Cela permet d'éviter que des espaces disgracieux se forment entre elles.
Noue les deux bouts du fil, et... ton collier est prêt !

Avec la même méthode, tu peux créer aussi des bracelets et des couronnes, en variant la longueur de fil.
Une version encore plus rapide consiste à acheter de fausses fleurs (de couleur et taille différente) dans un magasin d'articles de bricolage ou de travaux manuels, et à les enfiler l'une après l'autre avec une aiguille et du fil.

ET POUR FINIR...

LA JUPE HAWAÏENNE !

Avec ces ultimes indications de ton experte en mode et couture, tu pourras devenir une parfaite danseuse de *hula* !

IL TE FAUT :

- du papier crépon de couleur ;
- un galon de couleur (environ 2 cm de large) ;
- une épingle à nourrice ;
- une agrafeuse ;
- de la colle ;
- un stylo-feutre ;
- des ciseaux à bout rond.

ATTENTION : fais-toi toujours aider par un adulte !

1

Prends le galon et passe-le autour de ta taille.
Coupe-le en comptant un centimètre de plus que ton tour de taille et ferme-le par une épingle à nourrice.

2

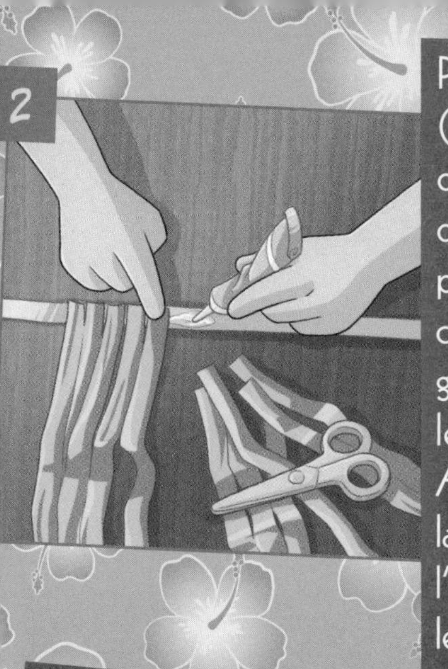

Prends le papier crépon (tu peux aussi utiliser des papiers crépons de différentes couleurs, pour faire une jupe multicolore !) et découpe une grande quantité de bandelettes de longueur égale. Avec l'agrafeuse (ou avec la colle), fixe-les sur le galon, l'une à côté de l'autre, jusqu'à le recouvrir tout entier.

Si tu veux rendre encore plus jolie ta jupe, tu peux aussi coller des fleurs en papier ici ou là. Il suffira de dessiner la forme d'une fleur sur du papier crépon plié plusieurs fois, de les découper puis de les agrafer sur la jupe.

3

À tout surf !

Les îles Hawaï sont le paradis des surfeurs : rien ne vaut les vagues énormes de l'océan Pacifique pour s'amuser sur une planche !
Saviez-vous que ce sport spectaculaire est né précisément ici ? Il semble en effet que les premiers signes historiques attestant de la pratique du surf se trouvent dans le journal de bord du capitaine Cook (1728-1779), le fameux explorateur qui, entre autres, découvrit les îles Hawaï.

Le capitaine Cook décrit les acrobaties effectuées par les Polynésiens en chevauchant les vagues sur des planches rudimentaires en bois. Ces planches étaient faites de trois troncs creux fixés les uns aux autres, à la proue recourbée vers le haut.

AU DÉBUT DU XXe SIÈCLE, le surf commença à se répandre à travers le monde grâce au grand champion olympique hawaïen Duke Kahanamoku. Profitant des voyages qu'il faisait pour participer aux compétitions, l'athlète exporta le surf sur les côtes des États-Unis et de l'Australie.

En peu de temps, ce sport devint un véritable phénomène de mode, notamment dans les années 1960 et 1970.

Aujourd'hui, dans les îles Hawaï, le meilleur endroit pour apprendre à surfer est Waikiki, sur l'île d'Oahu. Mais on peut admirer les surfeurs professionnels également en d'autres endroits de l'île, sur des plages aussi renommées que Banzaï Pipeline, Sunset Beach et Makaha.

PETIT DICTIONNAIRE DU SURF

AERIAL : décoller au-dessus d la lèvre de la vague.

BOARD (= PLANCHE) elle diffère en fonction de la taill du surfeur et de son poids mai aussi de son style et de la dimen sion des vagues.

DROPPER : ne pas respecte la priorité lors du take off.

FAIRE UN TUBE : une des manœuvres les plus spectaculaires, consistant à surfer en se laissant recouvrir par le tunnel d'eau de la vague qui retombe mais en en sortant juste avant qu'elle ne se brise.

LEASH : cordon reliant le surfeur à sa planche. Il sert à éviter de perdre sa planche après une chute.

LINE UP : endroit où les vagues commencent à déferler.

NOSE : nez de la planche.

SPOT : endroit où il est possible de surfer.

TAIL : partie arrière de la planche.

TAKE OFF : littéralement « décollage ». Démarrage sur la vague en ramant.

WAX : paraffine antidérapante pour ne pas glisser de la planche.

Pour faire du sport aussi le style est indispensable ! Il suffit d'un détail, et la tenue des « chevaucheurs de vagues » devient *fashion* !

La tenue du surfeur peut varier selon la température de l'eau. Si la mer est très froide, on porte une combinaison (plus ou moins épaisse). Si au contraire elle est chaude, un short et un tee-shirt en tissu synthétique suffiront, comme l'ensemble que je porte sur la photo ci-dessous.

La combinaison doit être élastique, avec des coutures solides et souples à la fois (pour empêcher les abrasions sur la peau par suite des frottements). La fermeture peut se faire devant ou derrière. Si la température de l'eau est très basse ou si le fond de la mer est riche en oursins, il est recommandé de porter également des chaussons de surf (légers et élastiques). Ils ont une semelle épaisse en caoutchouc, qui permet une bonne adhésion du pied sur la planche, et un creux séparant le gros orteil du reste du pied, pour mieux sentir les mouvements de la planche.

TEST!

ES-TU DU TYPE VOLCANIQUE OU DU TYPE EAU TRANQUILLE ?

En d'autres termes : es-tu du genre impulsif, ou bien de ces personnes plus réfléchies et tranquilles ?
Lis les questions posées ci-dessous et réponds sans trop réfléchir.
À la fin du test, cherche le profil qui correspond aux résultats.

DÉPART

Quelqu'un te joue un mauvais tour. Comment réagis-tu ?

A. Tu lui fais la même chose.
B. Tu le lui fais remarquer gentiment.
C. Tu hausses les épaules et n'y prêtes guère attention : avec certaines personnes, inutile de perdre son temps !

Laquelle de ces couleurs préfères-tu ?

A. Rouge.
B. Jaune.
C. Bleu.

Durant un après-midi avec des amis...

A. Tu as tendance à proposer aux autres ce que tu voudrais faire toi-même : tu es un volcan d'idées et tes amis te laissent décider.
B. Tu aimes proposer quelque chose, mais tu acceptes aussi bien ce que les autres décident pour toi.
C. Tu n'as aucune préférence : l'important, pour toi, c'est de passer du bon temps avec tes amis !

Lequel de ces animaux préfères-tu ?

A. Lion.
B. Singe.
C. Éléphant.

Comment réagis-tu si tu as fait une erreur dans tes devoirs ?

A. Tu es furieuse !
B. Tu commences par t'énerver contre toi-même, puis tu effaces ton erreur et tu recommences.
C. Tu recommences tranquillement depuis le début. Tout le monde peut se tromper, non ?

Tu regardes un film passionnant, lorsque le téléphone sonne : c'est ta meilleure amie.

A. Tu l'expédies rapidement : ton film ne peut pas attendre !
B. Tu lui demandes gentiment si c'est urgent et si tu peux la rappeler quand le film sera fini.
C. Tu éteins la télévision et tu parles avec ton amie : aucun film ne peut remplacer une conversation avec elle !

Majorité de réponses A

Tu appartiens nettement au type impulsif et volcanique : tes amis adorent ton énergie inépuisable, mais on peut aussi parfois te trouver trop « brusque ». Un peu comme Pam !

Majorité de réponses B

Ni volcan ni eaux tranquilles. Tu es un mélange équilibré des deux. L'important, pour toi, c'est d'être bien avec toi-même et avec tes amis. Un peu comme Nicky !

Majorité de réponses C

Timide et réservée, tu es capable de supporter n'importe quoi plutôt que de te fâcher avec quelqu'un. Attention à ne pas te laisser maltraiter : un chaton aussi doit être capable de rugir ! Un peu comme Violet.

Curiosités

PETITS POISSONS... ET GROS POISSONS !

Équipées de masques et de palmes, béates d'admiration, nous avons vu des myriades de poissons nager autour de nous ! Dans les mers hawaïennes, il y a des baleines, des dauphins, des murènes et des barracudas mais aussi toute sorte de poissons de toutes les couleurs, aux formes étranges et aux noms bizarres. Voici ceux que j'ai reconnus !

TORTUE VERTE MARINE

Son nom ne lui vient pas de la couleur de sa carapace, généralement marron ou olivâtre, mais de la couleur verdâtre de sa peau.

GRENOUILLE PÊCHEUSE BICOLORE

Ce poisson à grande bouche peut atteindre des dimensions considérables : on a pêché des spécimens de deux mètres de long et qui pesaient jusqu'à 57 kilos !

ANTHIAS À TACHE CARRÉE

Il doit son nom à la tache carrée caractéristique qu'il porte derrière les branchies, d'une couleur violette ou pourpre, à reflets métallisés.

POISSON CHIRURGIEN

Il doit son nom aux piquants épineux rétractiles qu'il porte de part et d'autre de la queue. Affilés comme un bistouri, ces stylets lui servent d'arme de défense.

REQUIN-TIGRE

Il atteint en général une longueur de 4 à 5 mètres chez la femelle, mais on a trouvé des spécimens mâles dépassant les 6 mètres ! Les proies du requin-tigre sont les dauphins et les petits cétacés, les oiseaux de mer, les poissons et même les tortues de mer.

MANTA

Appelée aussi le « diable des mers », cette raie peut avoir jusqu'à 8 mètres d'envergure et peser jusqu'à 3 tonnes.

POISSON PICASSO

On l'appelle ainsi en raison de sa livrée, colorée comme une œuvre d'art !
Sa tête est couleur sable, son dos et ses flancs sont d'un brun sombre tandis que son ventre est blanc. Sa bouche est jaune et ses yeux sont même décorés de trois lignes bleues !

JEU
LES DIFFÉRENCES

En regardant les photos de notre voyage aux îles Hawaï, je me suis aperçue que Paulina avait pris deux photos très semblables... mais pas identiques ! J'ai trouvé 10 petits détails qui les différencient. Les trouves-tu toi aussi ?

Les solutions se trouvent à la page 215.

TEST

Tes couleurs

As-tu vu toi aussi les magnifiques costumes que j'ai confectionnés pour mes amies ? Je m'en suis donné à cœur joie et j'ai fait appel à toute ma fantaisie ! Essaie toi aussi d'associer les couleurs et les fleurs : à la fin, je te dirai à quelle personnalité tes résultats correspondent.

Quelle émotion, quand nous avons dansé sur la scène ! Mais sans les merveilleux costumes de Colette, notre chorégraphie n'aurait pas rencontré un tel succès !

Quel ensemble as-tu choisi ?

Ensemble A : Tu es une personne pétillante et solaire, avec une grande énergie à exprimer. Gaie et insouciante, tu es regardée par tes amis avec estime et affection.

Ensemble B : Tu te passionnes pour tout ce que tu fais et tu mets du cœur dans chacune de tes actions. Pour toi, il n'y a pas de demi-mesures : tout est blanc ou noir. Tu crois fermement en l'amitié et tu es prête à tout pour aider un ami.

Ensemble C : Calme et réfléchie, tu aimes méditer sur ce qui t'entoure et sur toi-même. Tu as un caractère un peu solitaire, ce qui ne veut pas dire que tu n'apprécies pas la compagnie, bien au contraire ! Tu es juste quelqu'un de silencieux, qui préfère écouter.

Ensemble D : On pourrait te surnommer la « romantique ». Tu es une rêveuse née et tu vois tellement la vie en rose que tu réussis parfois à influencer tout ton entourage !

LA NOURRITURE HAWAÏENNE

Sais-tu que j'ai découvert à Hawaï toute sorte de plats délicieux ? Pendant notre voyage, j'ai pu ainsi déguster différentes spécialités telles que le *saimin*, une soupe à base d'algues, de crevettes, de champignons japonais, de petits morceaux de bonite (un poisson qui ressemble au thon), d'oignon vert et de longe de porc. Mais j'ai goûté aussi le poisson à l'ananas et le *haupia*, une sorte de flan à la noix de coco. Exquis !

Tu peux essayer de le faire toi aussi, en suivant la recette que m'a donnée Apikalia juste avant notre départ. N'oublie surtout pas de toujours te faire aider en cuisine par un adulte !

HAUPIA

INGRÉDIENTS :

500 ml de lait de coco ;
5 cuillerées de sucre ;
4 cuillerées d'amidon de maïs.

PRÉPARATION : mélange le sucre avec l'amidon de maïs et ajoute un peu de lait de coco, jusqu'à obtenir une pâte assez dense. Fais chauffer le reste du lait de coco et ajoutes-y petit à petit la prép ration (en continuant de mélanger). Verse le tout dans un moule puis place l moule au réfrigérateur. Selon la durée de cuisson et le temps laissé au réfrigé rateur, cette pâtisserie peut être mangée comme un flan, à la cuillère, ou bie être dégustée découpée en cubes. Mmmm, c'est à s'en lécher les babines

PETIT DICTIONNAIRE D'HAWAÏEN

AIDE : kokura
AMI : ho'aloha
BIEN : maika'i
CIEL : lani
DÉLICIEUX : ono
ENFANT : keiki
ÉTOILE : hoku
ÉTRANGER : haolé
FAMILLE : 'ohana
FEUILLE : lau
FEMME : vahiné
GRAND-PÈRE/GRAND-MÈRE : tutu/tutu kané
HOMME : kané
ÎLE : moku
LUNE : mahina
MER : kai
MERCI : mahalo
MIGNONNE : nani
NON : 'a'olé
NOURRITURE : mea'ai
OCÉAN : moana
ŒIL : maka
OUI : 'aé
PARENT : makua
PROFESSEUR : kumu
SILENCE : kulikuli
SOLEIL : la
TRAVAIL : hana
VITE : wikiwiki

JOYEUX NOËL :
Mélé Kalikimaka

BONNE ANNÉE :
Hau'oli Makahiki Hou

BON ANNIVERSAIRE :
Hau'oli La Hanau

La

Kai

Nani

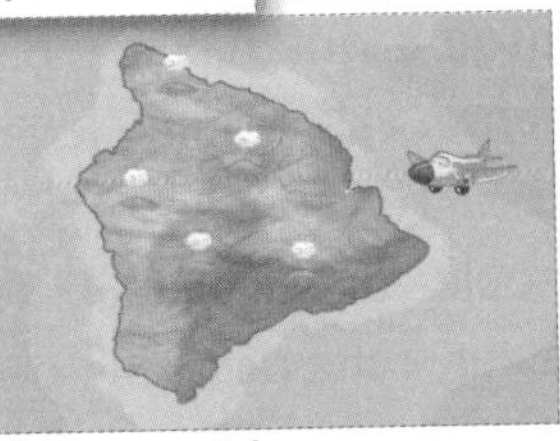

Moku

QUIZ

DESTINATION HAWAÏ

As-tu lu attentivement cette histoire ? Es-tu sûre de tout savoir sur l'archipel des îles Hawaï ? Je te propose de vérifier tes connaissances en répondant à ce quiz…

1) *Quelle est la capitale de l'État d'Hawaï ?*

A. Waikiki
B. Honolulu
C. Kona

2) *De combien d'îles principales est constitué l'archipel d'Hawaï ?*

A. Une seule
B. Trois
C. Huit

3) *Comment s'appelle le chant typique hawaïen ?*

A. Péré
B. Sing
C. Mélé

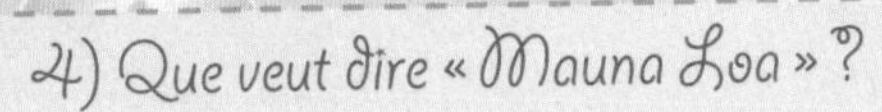

4) *Que veut dire « Mauna Loa » ?*

A. Lave
B. Volcan
C. Longue montagne

UN PETIT BIJOU AU MILIEU DU PACIFIQUE

5) Pourquoi Hawaï, la grande île, est-elle spécialement connue ?

A. Parce qu'on peut y faire du shopping

B. Parce qu'on y trouve deux volcans importants, le Mauna Loa et le Kilauea

C. Parce qu'elle est pleine de chats qui galopent en tous sens !

6) Quel fut le premier explorateur européen à atteindre les îles Hawaï ?

A. Thomas Cook

B. Magellan

C. Christophe Colomb

7) Comment s'appelle le collier de fleurs que l'on vous passe autour du cou en signe de bienvenue ?

A. Leï

B. Lui

C. Keï

8) À quel pays appartiennent les îles Hawaï ?

A. Grande-Bretagne

B. Australie

C. États-Unis

9) « Au revoir » se dit en hawaïen :

A. Sayonara

B. Bye bye

C. Aloha

Les solutions se trouvent à la page 215.

SOLUTIONS DE
TREMBLEMENT
de terre dans les
pièces du puzzle !
(PAGE 188)
1
2
3
4
5
C-1
A-2
B-3
E-4
D-5
Solutions!

SOLUTIONS DU QUIZ

DESTINATION HAWAÏ

(PAGE 212)

1) B

2) C. En plus d'Oahu, sur laquelle est situé Honolulu, l'archipel est constitué de l'île d'Hawaï, de l'île de Maui, des îles de Kauai, Molokai, Lanai, Niihau et Kahoolawé.

3) C. Il en existe deux sortes : le « mélé hula », chanson sur un rythme de danse, et le « mélé oli », qui est le chant libre.

4) C

5) B

6) A. Bien qu'il soit possible que des marins aient fait naufrage le long des côtes avant lui, Cook fut le premier, en 1778, à informer le monde occidental de l'existence de ces îles.

7) A

8) C

9) C.

SOLUTIONS DU JEU

LES DIFFÉRENCES

(PAGE 206)

Solutions !

TABLE DES MATIÈRES

DANS LA MÊME COLLECTION

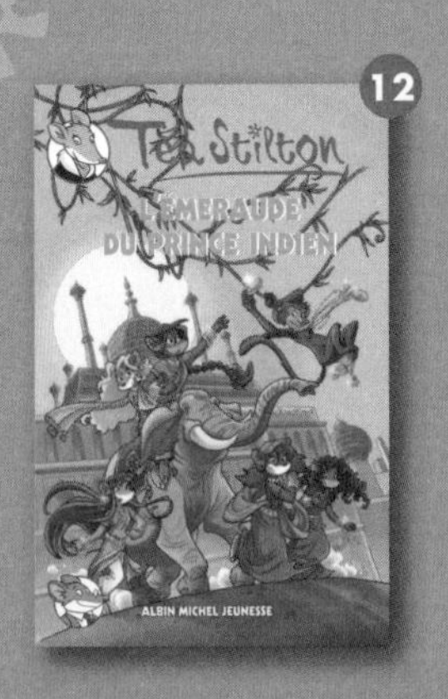

1. Le Code du dragon
2. Le Mystère de la montagne rouge
3. La Cité secrète
4. Mystère à Paris
5. Le Vaisseau fantôme
6. New York New York !
7. Le Trésor sous la glace
8. Destination étoiles
9. La Disparue du clan MacMouse
10. Le Secret des marionnettes japonaises
11. La Piste du scarabée bleu
12. L'Émeraude du prince indien
13. Vol dans l'Orient-Express
14. Menace en coulisses

Et aussi...

1. Téa Sisters contre Vanilla Girls
2. Le Journal intime de Colette
3. Vent de panique à Raxford
4. Les Reines de la danse
5. Un projet top secret!
6. Cinq amies pour un spectacle
7. Rock à Raxford!
8. L'Invitée mystérieuse
9. Une lettre d'amour bien mystérieuse
10. Une princesse sur la glace
11. Deux stars au collège
12. Top-modèle pour un jour

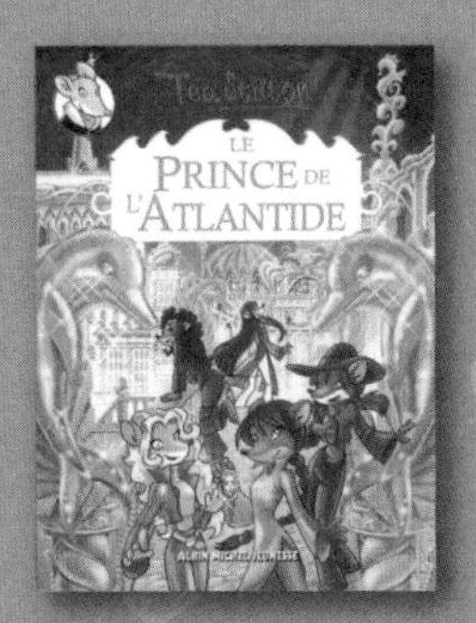

Hors-série
Le Prince de l'Atlantide

N
S
1
2
3
4
5
6
7
9
10
11
11
12
13
14
15
16
17
18
19
20
21
22
23
24
25
ÎLE
DES BALEINES

L'île des Baleines

1. Pic du Faucon
2. Observatoire astronomique
3. Mont Ébouleux
4. Installations photovoltaïques pour l'énergie solaire
5. Plaine du Bouc
6. Pointe Ventue
7. Plage des Tortues
8. Plage Plageuse
9. Collège de Raxford
10. Rivière Bernicle
11. *L'Antique Cancoillotterie*, restaurant et siège des *Messageries Ratiques – Transports maritimes*
12. Port
13. Maison des Calamars
14. *Zanzibazar*
15. Baie des Papillons
16. Pointe de la Moule
17. Rocher du Phare
18. Rochers du Cormoran
19. Forêt des Rossignols
20. Villa Marée, laboratoire de biologie marine
21. Forêt des Faucons
22. Grotte du Vent
23. Grotte du Phoque
24. Récif des Mouettes
25. Plage des Ânons

Au revoir,
à la prochaine aventure !

COLLÈGE
DE
R
RAXFORD